Las yeguas desbocadas

GUADALUPE LOAEZA

Las yeguas desbocadas

🜨 Planeta

Diseño de portada: Liz Batta
Fotografía de portada: Getty Images Latin America / The LIFE Premium
Collection/Getty Images / Nina Leen / Contributor
Fotografía de la autora: © Blanca Charolet

© 2016, Guadalupe Loaeza

Derechos reservados

© 2016, Editorial Planeta Mexicana, S.A. de C.V.
Bajo el sello editorial PLANETA M.R.
Avenida Presidente Masarik núm. 111, Piso 2
Colonia Polanco V Sección
Deleg. Miguel Hidalgo
C.P. 11560, Ciudad de México
www.planetadelibros.com.mx

Primera edición: noviembre de 2016
ISBN: 978-607-07-3664-3

Impreso en los talleres de Litográfica Ingramex, S.A. de C.V.
Centeno núm. 162-1, colonia Granjas Esmeralda, Ciudad de México
Impreso y hecho en México - *Printed and made in Mexico*

Para mi padre y su isla maravillosa

Cuando evoco mi niñez me siento incapaz de decir que fue buena o mala. Pero sé que no estaría dispuesto jamás y a ningún precio a volver a ella.

Sándor Marái

La familia es como una jaula, uno ve a los pájaros desesperados por entrar, y a los que están dentro igualmente desesperados por salir.

Michel de Montaigne

1

Me llamo Sofía, tengo quince años y odio al mundo. Quiero que desaparezca, que ya nadie me moleste y me juzgue. Quiero que caiga una bomba y explote todo. Bueno, quizá no todo el planeta Tierra. Pero sí el colegio, ¡mi colegio! Quiero que la bomba explote en la habitación donde duerme la monja que más odio de todas las religiosas que he tenido como maestras.

Todo porque les conté a mis compañeras que los bebés no vienen de París ni los trae la cigüeña, como creen las muy tontas y mochas.

—Nada de eso. El papá tiene que meterle un frijolito a la mamá —les digo en el recreo.

—¿Y cómo se lo mete a la mamá? —pregunta Fernanda, la más aplicada de la clase.

—Pues con su *pajarito*. Ya sabes… con lo que tienen los hombres. Mi mamá le dice «el negocio del señor».

—¿En qué momento le mete el frijolito a la mamá? —cuestiona Rafaela, su hermana gemela.

—Por las noches y con la luz apagada es cuando mejor entra.

—Pero tienen que estar casados, ¿no?

—No, no tienen que estar casados. Lo único que se necesita para recibir el frijolito es que la futura mamá abra las piernas con mucho amor. Las compañeras no dan crédito a lo que acaban de escuchar. Unas me miran feo, otras hacen gesto de «córtalas». Consuelo, la más chismosa, ni tarda ni perezosa va con el chisme. Justo estamos terminando de comer nuestro *lunch* cuando veo correr por el patio a *Madame* Pirulí.

—¡Sofía, ven acá! —grita mi nombre con coraje enfrente de todas mis compañeras.

No le respondo, la dejo ahí paradota mientras me termino el bocado de mi torta. Mis compañeras ríen, a la monja se le pone toda la cara roja.

—¿Qué fue exactamente lo que le contaste a tus compañeras?

No le contesto. La monja se desespera.

—¡Contéstame, Sofía!

—¿A poco no sabe que una yegua fina jamás habla con la boca llena? —respondo por fin.

—No seas irrespetuosa. ¡Estás expulsada, Sofía!

—¿Ah, síííí? ¿Por cuántos días? —le pregunto haciéndome la payasa. Tengo la boca llena de torta de frijoles.

Mis compañeras de primero de secundaria B se quedan de a cuatro. María Elena tiene la cara hinchada y roja como si la hubiera picado una avispa y está sude y sude porque acaba de jugar quemados. Consuelo está con actitud de «yo no fui». Su hermana, Covadonga, mira hacia el suelo.

—¡Estás expulsada! ¡Para siempre! —contesta la bruja. Tiene los labios apretados, parece que se los va a tragar de puritita rabia.

—Qué bueno, porque así no la vuelvo a ver —murmuro entre dientes.

Algunas compañeras del Colegio Francés se ríen; otras se quedan calladas. Ninguna me defiende, ni Julieta ni Carmen ni Beatriz ni Huguette. Son unas cobardes. Si una de ellas hubiera sido expulsada frente a mí, yo sí la habría defendido. Furibunda, la monja me toma del brazo y, como de rayo, me lleva a la Dirección.

Bajamos a jalones las escaleras de piedra y atravesamos el gran patio. «Que se caiga, que se caiga», pienso. Pero no se cae. Seguro le está rezando mentalmente a su ángel de la guarda para no azotar. Cuando llegamos a la Dirección, *Madame* Teresa pide hablar con Sor Hélène acerca de un «asunto de suma importancia», como le dice a la secretaria. Ay, sí… «de suma importancia», imito la voz de *Madame* Pirulí en mi cabeza. Le puse así porque se hace dizque la muy «dulcecita» cuando nos habla de religión, y ¡pácatelas!, cuando menos te lo esperas te llama la atención y sientes el pico del pirulí contra el paladar. Con eso de que es mitad francesa y mitad mexicana, mitad buena y mitad malísima, mitad señorita y mitad quién sabe qué, nunca se sabe con ella.

Aparece la directora. Las dos monjas cuchichean frente a mí. Me ven de reojo y vuelven a hablar entre ellas. ¡Par de chismosas!

—Llama a tu casa —me ordena Sor Hélène con toda su autoridad. Sé que no soporta a mi mamá. Le cae gorda porque no se parece a las otras mamás, porque no es la típica señora mexicana de sociedad y porque es como un terremoto. Dice todo lo que piensa y no le tiene miedo a la gente. Para colmo, no paga puntualmente las mensualidades del colegio.

Obedezco porque estoy segura de que el teléfono de la casa estará, como de costumbre, ocupado. Imagino a mi mamá con su bata azul, sentada en el sillón «Napoleón III de palo de rosa», como dice ella, que compró en Galerías La Granja. Seguro ha de estar hablando con su amiga Lala Braniff de Buch, que vive en el Waldorf Astoria de Nueva York. Es la amiga más rica de mi mamá, por eso puede llamarla de larga distancia por cobrar, sin importarle la cuenta ni la diferencia de horarios. Mamá, *plis*, no cuelgues nunca el teléfono, habla hasta el infinito para que no te puedan avisar del colegio que tu séptima hija está expulsada.

—Mientras esperamos a que se desocupe, ¿puedo regresar a la clase, *Madame*?

—Antes tienes que hablar con tu mami —me advierte la Pirulí con mucha formalidad, frunciendo la boca. Además, tiene bigotes, ¡qué asco! Tengo ganas de ahorcarla. ¡La odio!

No se da cuenta de que mi «mami», como dice esta monja tan cursi y *expulsadora* de menores, no va a colgar nunca. Me sé de memoria sus típicas conversaciones, hasta tengo la impresión de estar escuchándola con el último chisme de las crónicas sociales: «¿Qué te parece que ahora sí el hijo del expresidente Alemán se va a casar con la tal Christiane Martel? Me contaron que la pobre de Patricia López-Negrete tuvo que regresar el anillo y todos los regalos de boda que ya había recibido. ¿Ya sabes de quién es hija? De Cecilia Camou y de Joaquín López-Negrete, que por cierto ya murió. Alemán y doña Beatriz han de estar que no los calienta el sol. Con decirte que hasta Miguelito, su hijo, fue a ver al presidente López Mateos para decirle que lo quería invitar como testigo porque era la única manera de convencer a su papá de ir a su boda. Además, dicen que la francesa es una encueratriz... que salió desnuda como Eva en una película mexicana. Ya ves cómo son de liberadas estas francesas, ahora imagínate una ex Miss Universo. Vete tú a saber qué costumbres tendrá esta muchacha...».

Sigo esperando en la Dirección. Miro mis uñas. ¡Están horribles! Mal cortadas con unas tijerotas como las que usan los sastres. Veo mi uniforme azul marino; está todo brilloso por la cantidad de veces que la criada lo ha planchado sin un trapo húmedo. Me falta un puño y mi cuello blanco sin almidonar se ve viejito. Mis zapatos de agujetas del uniforme no están boleados. Mis medias se ven todas aguadas porque mi tirantera no las sujeta bien y como de costumbre se me asoma mi medio fondo. Sentada donde estoy, me miro en el vidrio que separa la Dirección. Tengo cara de la típica niña expulsada. Para quitarme la imagen de la cabeza, observo a Lourdes escribir en su máquina Olivetti. Lo hace de volada, mirando fijamente el papel que tiene frente a ella.

—¿Se va usted a meter de monja?

—No seas curiosa, Sofi.

—No se deje convencer por las monjas, ya ve cómo convencieron a Sor Elena de la Cruz. Mejor cásese y tenga muchos hijos. ¿A poco no tiene novio?

—Te pido de favor, Sofi, que me dejes trabajar porque tengo que terminar este esténcil lo más pronto posible.

—Es usted muy guapa para ser monja.

—Sofi, guarda silencio, por favor.

Llega la hora de la salida y *Madame* Pirulí me dice que ya hablará con mi «mami» por la tarde y que debo tomar mi camión.

—Y si no logra hablar con mi mamá, ¿mañana puedo venir al colegio?

—Sofía... toma todas tus cosas. Y asegúrate de que no se te olvide nada.

Ya ni la amuela esta religiosa tan poco religiosa, ¿eso quiere decir que nunca más podré volver al colegio? ¿Correrme a mitad del año nada más porque les dije a las chicas cómo vienen los niños al mundo? Pero si ya tenemos quince años. ¿Qué demonios le pasa a esta monja tan injusta? Tengo ganas de imitarla, su voz me sale perfecto. No me atrevo. Pienso que sería contraproducente. Para la hora de la salida, toda la secundaria ya sabe que me corrieron. Muchas me miran con lástima, otras ni me voltean a ver. Bola de idiotas, pues ni que tuviera lepra. Me subo al camión 4 y me siento en mi lugar, casi hasta atrás. No hablo con nadie porque nadie se sienta junto a mí. Emilia, mi hermana, me mira con sus ojos azules desde su lugar, dos asientos atrás del mío. Siento que está muy avergonzada por mi culpa. Ella sí que es muy buena alumna, está becada desde que pasó a primaria. Siempre ha tenido excelentes calificaciones. Ella, tan querida por todas las monjas, y yo tan odiada, no tiene nada que ver conmigo.

«Soy una apestada», pienso.

Para no darles el gusto de verme triste, me paso al asiento de adelante y me pongo a platicar con el chofer: «Oiga, Juanito, ¿no le encanta doña Borola Tacuche de Burrón? Javier, mi vecino, me prestó todos los cómics empastados. En mi casa los leo a escondidas, en el baño o muy tarde en la noche cuando la casa está dormida. ¿Sabe qué personaje me gusta mucho? Cristeta Tacuche, la tía multimillonaria que vive en París porque el gobierno la estaba persiguiendo. ¿Se acuerda del nombre de su secretaria? Boba Licona. Ella se ocupa de las mascotas de su patrona, que son dos cocodrilos llamados Pierre y Marcelo. No se ría, es cierto. Estos cocodrilos viven en la alberca de su mansión...».

Juanito se echa unas carcajadas como las de Piporro. La seño que cuida el camión y las demás compañeras nos ven con cara de fuchi. Durante todo el camino, del Pedregal hasta la colonia Cuauhtémoc, hablo sin parar con el chofer; ya lloraré esta noche solita en mi cama. Mientras tanto me muero de la risa de las anécdotas de la Borola.

Al bajar del camión, me despido del chofer de mano. «Ya no nos volveremos a ver», le digo con los ojos aguados. No me escucha. Y como siempre, me advierte: «Mañana, Sofía, no te voy a esperar más de dos minutos, ¿*okey*?». No le respondo. Si lo hago, lloraría como una Magdalena sobre su hombro: «Ay, Juanito, cómo lo voy a extrañar. Dígame dónde vive para ir a visitarlo, no importa si vive por la Villa, por Iztapalapa, o hasta Tepito. Estoy muy triste, Juanito, porque me siento un cero a la izquierda». Algo así le hubiera dicho, pero no se lo dije.

Llego a mi casa y me dice la muchacha:

—Tu mami se fue al mercado.

—¿A estas horas?

—Es que en la mañana estuvo ocupada.

—¿Y la comida?

—Nada más está la sopa, pero falta el arroz. Y todavía no traen la carne. Tu mamá pidió cuete.

—¿Están mis hermanas?

—Todavía no llegan. Tu hermano no va a venir a comer. Tu papá no tarda.

Subo a mi cuarto, me quito el uniforme y lo aviento sobre la cama. Pienso que es de mala suerte. Me pongo mi suéter amarillo de Vanlon, que me lo abrocho por detrás para que se vea más moderno, y mi falda escocesa. Me cambio de zapatos, me dejo las medias y me pongo los de trabita y de tacón muñeca.

—Si llega mi mamá, dile que fui a casa de mi amiga Carmen. Dile que no tardo nadita —le aviso a mi hermana Emilia, que me mira con su uniforme puesto y sus ojos siempre tristes. Esta vez creo que está triste por mí, pero no me dice nada.

Mi amiga Carmen también es yegua fina, va un año más adelante que yo. Vive en Río Pánuco, muy cerca de mi casa. Su calle tiene más árboles que la mía y en su cuadra hay muchas casas con jardín. Cuando llego, siempre paso por la cocina y le pido a Juanita, su cocinera, que me prepare un *platillo volador* y me suba una Coca-Cola. En esa casa siempre hay jamón y pan Bimbo; en la mía, puras teleras y bolillos de la panadería Colonial ni siquiera de Elizondo. Nunca hay cocas ni mostaza ni mucho menos el aparato para hacer los platillos voladores. Además, sus muchachas están uniformadas con sus batas de cuadritos y sus delantales con tira bordada; en cambio, en la casa, las criadas están muy cuachalotas por su ropa bien viejita y su suéter de cocoles deslavado. La primera vez que fui a visitarla, me di cuenta de dos cosas: que sus papás dormían en cuartos separados y que ella dormía con su nana. Al lado de su cama hay un catre donde descansa la criada con sus trenzas. Dice la nana que un día se las quiere cortar para hacerse un permanente frío, de esos que dejan el pelo muy, muy chino.

—¿Todavía duermes con tu nana? —le pregunté asombradísima.

—Es para que me cuide por las noches.

Después me confesó que el segundo de sus hermanos entraba todas las noches a su cuarto, cuando toda la familia estaba durmiendo, y se sentaba a los pies de su cama, le desabotonaba el camisón y empezaba a acariciarle todo el busto, sin importarle la imagen de la Virgen de Guadalupe que está colgada en la pared; Carmen se hacía la dormida y se dejaba hacer todo lo que él quería, mientras que la nana dormía como tronco y ni cuenta se daba. Mi amiga tiene un busto, sin exagerar, más grande que el de Sofía Loren. Está muy orgullosa de su cuerpo tan desarrollado para su edad, se cree mucho con su bustote. Aunque todavía tiene cara de niña, con sus ojos verdes y su cabello medio pelirrojo, tiene cuerpo de mujer, como las rumberas que salen en la tele.

—La próxima vez que me platiques que vino tu cochino hermano, le voy a contar todo a tus papás. Además, ¿por qué mejor no acaricia el busto de la nana? Por prieta, ¿o qué?

Aunque no me responde, yo jamás me atrevería a decirle a nadie. Su papá, que es Caballero de Colón, se moriría de la impresión y eso sí me daría mucha lástima porque el señor es muy buena persona. Cada vez que estamos las dos solas en el baño, exprimiéndonos las espinillas, insisto en que me platique qué siente cuando su hermano le pone las dos manotas sobre su enooooooorme busto. Qué diferencia con el mío, a pesar de que ya me vino la regla, sigo bien plana. Mis portabustos parecen pañuelitos y eso que son marca Maidenform, con sus famosos pespuntes «circulares y radiales», como dice el anuncio. Lo que más me extraña es que Carmen se confiesa cada ocho días y después comulga. ¿Se lo contará todo al padre? ¿Qué le contestará el sacerdote de la Votiva, que es bien morboso?

—Ave María Purísima.

—Sin pecado concebida.

—¿Te has tocado tus partes nobles?

—Yo no. Pero mi hermano sí.

—Niña, eso es un pecado muy grave. Tú y tu hermano se van a ir al infierno.

Prefiero no contarle a mi amiga que me expulsaron del colegio, porque sé que en el fondo le va a dar gusto. Desvío el camino cuando ya estoy cerca de su casa y en vez de eso me dirijo hacia la Zona Rosa, a ver si me encuentro con alguno de los amigos de mi hermano: les encanta tomar café en el Toulouse-Lautrec, que está en un pasaje. Se creen mucho con sus suéteres negros de cuello de tortuga y sus pipas. Entre ellos se llaman «maestro» y se echan «toritos» para saber quién es el que más sabe de todo. Pueden hacerse las preguntas más bobas, por ejemplo: «¿Cuántas butacas tiene el cine Roble?». El que más me gusta de todos los amigos de mi hermano es Esteban. Es medio tartamudo, también muy lindo. Se parece a Steve McQueen. Es un enamorado de la música de Bach, del *jazz* y de los libros de Carlos Fuentes. Se cree un intelectual. Un día me dijo: «La vida no tiene sentido, pero vale la pena vivirla», porque según él, también es «existencialista».

Camino por las calles de Génova. Primero paso por la iglesia de la Votiva, donde voy todos los domingos a misa. Allí me he confesado varias veces y siempre me dejan unas penitencias terribles, sobre todo cuando hablo de Carmen. Paso por el restaurante italiano La Góndola, hasta llegar a la *boutique* de unos españoles. Es una pareja muy extraña: siempre están juntos, uno es muy alto y el otro, gordito y chaparro, es el que arregla la vitrina de una forma muy artística. Dice mi mamá que los dos son jotos. Ha de ser muy malo ser joto, porque lo dice con muchas jotas y quedito.

En la vitrina de su *boutique* hay un *blazer* rojo con botones dorados. Me gusta pero sé que nunca me lo van a comprar porque en mi casa nunca hay dinero, menos para esa ropa tan cara. La que yo uso es heredada de mis hermanas mayores o comprada de medio uso en El Hallazgo, de la que llevan a regalar las señoras de sociedad. Se me hace un nudo en la garganta. Me veo reflejada en la vitrina del café Kineret: de lejos y peinada de «avión» le doy un aire a Sandra Dee, pero ya de cerca cambia la cosa.

Paso por Zaga, la tienda de camisas para hombre del actor argentino Che Reyes, quien siempre saluda muy amable a toda la gente que viene a pasearse por la Zona Rosa. Yo también lo saludo y me sonríe con su bigote perfectamente bien cortado. Como es argentino se peina con mucha gomina. De regreso para la casa, atravieso Paseo de la Reforma, toreando los coches muy de cerquita, sobre todo los taxis «cocodrilos», pintados con sus grecas blancas y negras. ¿Y si uno de ellos me atropellara y me muriera de una vez por todas para que culparan de mi muerte a la monja Pirulí? ¿Morirme tan joven? ¡Qué horror! ¿Quién cuidaría a Lety? ¿Saldría mi accidente en la sección roja de los periódicos? Típico que en el anuario del colegio, el *Entre Nous*, se publicaría un texto de despedida escrito por alguna de mis compañeras. «Apenas ayer se sentaba entre nosotras. Compañera transparente, alma de armiño, espíritu luminoso, Sofía se durmió en el Señor, tendida en su ataúd blanco, el rostro dulce envidiablemente sereno, con el rosario en las manos entrelazadas. Era Sofía una alumna incomprendida por sus mayores. Antes de morir fue víctima de una gran injusticia, por culpa de la incomprensión de una monja muy amargada, la cual ofreció al Señor antes de cerrar los ojos para siempre».

Camino por Río Sena y paso delante de la casa de mi amigo Javier, el que me prestó todos los cómics de *La Familia Burrón*. Le digo como diría doña Borola: «Ahí nos vidrios...». Sigo derecho y no me quito y si me pegan me desquito hasta llegar a la Plaza Necaxa. Los árboles muy tupidos de hojas de esa placita están repletos de azotadores verdes y negros; por las noches se llena de parejitas de criadas y mozos de la colonia y se la pasan besándose en la boca con todo y lengua. Llego a la esquina de Río Nazas y paso frente al Larín, saludo a la señora que atiende y que es bizca y después miro hacia la Librería de Cristal que está en el edificio donde viven el escritor Juan Rulfo y «Paco el de la ventana», como bauticé al muchacho que todas las mañanas se asoma para verme esperar el camión del colegio. Ahora ya no me podrá ver porque me expulsaron. ¡Qué horror! Cómo explicárselo, si ni siquiera sé su nombre ni en qué departamento vive; cómo avisarle que ya nunca más nos veremos a los ojos. Cada mañana a las 7:10 subía lentamente la persiana de su recámara y aparecía en la ventana con una bata escocesa gris. Lo voy a extrañar, a no ser que me presente con mi uniforme como todas las mañanas y le pida a Juanito que me deje subir al camión y que a las dos cuadras me baje.

«Paco el de la ventana» es mi amor platónico. Mi único pretendiente, en realidad. Si me dormía con tubos era porque me daba ilusión saber que él estaría allí esperando hasta que me subiera al camión 4. Yo volteaba hacia su ventana, le sonreía, y él me devolvía la mirada con sus ojos pestañudos. Con el tiempo pudo haberse convertido en mi novio, quizá hasta en mi marido. Y por culpa de una monja a la que seguramente nadie le meterá el frijolito y por eso está tan frustrada, ya no lo veré nunca más.

Llego a mi casa y ya todo el mundo está en la mesa comiendo su sopa de letras, mi preferida.

—Me expulsaron del colegio —confieso de inmediato, sin esperarme un minuto más.

Todos me miran con cara de que ya sabían, porque, probablemente, se lo contó mi hermana, Emilia. El caso es que a mi mamá casi le da el patatús. Se pone furiosa, pero no contra su hija Sofía sino contra el Colegio Francés del Pedregal. Como de rayo toma el teléfono, marca el 04 y pide el número del colegio. En seguida lo marca y, con voz de drama, le dice a la secretaria que quiere hablar con Sor Hélène, la directora. A gritos le dice: «Ya me contó esta niña de la injusticia que cometieron con ella. Es inhumano hacerle esto a una pobre adolescente, se lo voy a contar a todo México. Si vivieran mis monjas francesas, jamás sucedería algo semejante. Escúcheme bien, Sor Hélène, desde que el Colegio Francés de San Cosme se cambió al Pedregal se ha *acorrientado*. Por su culpa se va a acomplejar todavía más esta niña, porque ningún colegio la va a aceptar a mitad de año».

Mientras mi mamá habla con la monja pongo cara de víctima, así como las que pone Chachita en la película *Nosotros los pobres*, cara de niña juiciosa que acaba de sufrir una gran adversidad. Cuando cuelga, la mamá de la expulsada se ve pálida y despeinada. Miro hacia sus pies y me doy cuenta de que está descalza.

No sé por qué se quitó sus zapatos. Veo que están bajo la mesa del comedor. Tengo ganas de buscárselos y luego abrazarla, pero no me atrevo. Creo que desde que nací nunca la he abrazado. No puedo creer que me haya defendido. En cambio, mi papá no dice nada, lo único que quiere es que le traigan su ate con queso para irse a tomar su siesta. Por más que busco su mirada, me evita. Soy invisible ante sus ojos.

Por la tarde, en lugar de hacer tarea, me puse a ver la tele: un capítulo de una telenovela que me encanta. Lástima que no tenemos una televisión con una pantalla más grande. La nuestra es chiquita, de la marca Majestic, que compró mi mamá a crédito a la vuelta de la casa. De repente llegó mi hermano y sin decir nada le cambió de mi telenovela al canal del programa *Los Intocables*. Al terminar quiso que viéramos *Perry Mason*, pero le dije que no me gustaba y preferí irme a mi cuarto a leer un poco. Después de cenar, me regresé otra vez a ver la tele y junto con mis hermanas nos quedamos despiertas hasta que vimos al Loco Valdés. Lo que más me gusta del programa es la publicidad de un *whiskey* Ballantines. Sale anunciándolo una muchacha igualita a Brigitte Bardot y con una música de lo más sexi, que se llama *You go to my head*. Todas empezamos a bostezar y decidimos irnos a acostar. Para esas horas, ya ni me acuerdo de que me corrieron del colegio. Mi casa nunca duerme. Aunque sea la una de la mañana, desde mi cama oigo a mi mamá *güiri güiri*. Antes de instalarse en su sillón, que está muy cerquita del teléfono, pregunta: «Por caridad de Dios, ¿quién de ustedes me pone la vitrola para escuchar mi música francesa?». No dice «tocadiscos», dice «vitrola»; creo que así se decía en la época de don Porfirio. El que siempre le pone una torrecita de discos de Charles Trenet y Patachou es mi hermano. Mi mamá adora Francia, dice que si es francés, a fuerzas tiene que ser inteligente. A veces Toño le pone algunos discos del *hit parade*, sobre todo esa canción que le encanta: *Besos más dulces que el vino*.

Lo que también acostumbra hacer mi mamá es pedirle a la sirvienta que le saque las canas con unas pincitas, como las que usan mis hermanas para depilarse las cejas. «Un peso por cana», le dice. Un día yo le saqué como veinte y nada más me dio cinco pesos. Mientras ella habla y habla por teléfono, mi papá lee su revista *Time* y toma su *whiskey*. Por lo general bebe uno, y hasta dos después de cenar. Pero hoy se tomó más, ha de ser porque me expulsaron. Ya es tardísimo cuando escucho desde mi cama cómo sube las escaleras con muchos trabajos. «Dios mío, que no se vaya a caer, que no se vaya a caer», repito una y otra vez como si estuviera diciendo jaculatorias. En ese momento me convierto en su ángel de la guarda, me pongo a sus espaldas y cuido cada uno de sus pasos. «Con cuidadito, don Antonio. Fíjese bien, aquí viene otro escalón. Muy bien… Ahora, otro y otro… Tómese muy fuerte del barandal, no se vaya a caer», le digo en mi imaginación hasta que sube los dos pisos y llega finalmente vivo y sano a su recámara.

—No, Lala, si te digo que esta niña es una idiota —escucho que dice mi mamá en el teléfono cuando voy al baño—. Nomás no sirve para los estudios. Qué diferencia con Emilia, esa sí es muy inteligente. ¿Qué puedo hacer si no se le abre el entendimiento? No nada más es una idiota, bruta e imbécil, ahora además es una expulsada.

¿Por qué no le dice a su amiga que las idiotas son las monjas por correrme? ¿Por qué no me defiende de nuevo? Mis hermanas se hacen las dormidas, seguro también la oyen desde su cuarto. Acostada en mi cama, siento cómo se me va formando un enorme nudo en la garganta. Me quiero morir. Me siento muy inútil, una buena para nada y me pregunto qué diablos haré conmigo misma. ¿Desaparecer para siempre? ¿Irme al arroyo, como la artista de la película *Santa*? ¿Ofrecerle mi sufrimiento al Señor? Siento unas ganas enormes de ponerme a «chillar», como dice mi mamá que hablan las criadas. O «berrear». O «moquear», como si yo también fuera una buena pelada. Por más que hago esfuerzos por pasarme el nudo horrible que siento en la garganta, no se me deshace. Allí está, bien duro y apretado. Es como un bultito lleno de líquido salado.

Al otro día amanezco de la cachetada, con los ojos y hasta los labios hinchados. Mi mamá dice que parecen dos bisteces de aguayón. «¡Te ves horrible!», me grita cuando bajo al comedor. Después de que termino mis Corn Flakes, me ordena acompañarla a hablar con las señoritas Guevara.

Son dos hermanas, las dueñas del Queen Mary. La mayor se llama Josefina y es la directora. El colegio está a dos casas de donde vivimos. Allí estudia una amiga mía que vive en un edificio de departamentos en la otra cuadra. Me gusta su uniforme: una blusa blanca con alforcitas, falda azul marino y un delantal de cuadritos azul y blanco con olanes. Dice mi hermana Inés que el colegio es cursísimo y que allí jamás estudiaría una yegua fina.

Finalmente mi mamá convence a las hermanitas: a cambio de aceptarme a mitad de año, les ofrece el lugar enfrente de la casa para que puedan estacionar uno de los camiones del colegio. El Queen Mary tiene su propio estacionamiento, pero son tantos camiones que no les alcanza el espacio. Les encanta la propuesta, las dos se despiden de nosotras con una enorme sonrisa.

—¿Y dónde va a estacionar el coche mi papá? —le pregunto a mi mamá con una voz muy quedita.

—Anda tú, idiota. Era la única manera de que te aceptaran —me dice mientras camina como camina ella, con la cabeza gacha y viendo fijamente la banqueta.

La verdad es que me da mucha lástima que mi papá ya no tenga lugar para estacionar su camionetita Opel, porque va a tener que caminar como tres cuadras de ida y de vuelta hasta el estacionamiento de Río Po. Pobrecito, desde que nos accidentamos siempre está como ausente. Tengo la impresión de que también quiere desaparecer. Ha de ser horrible estar casado con una mujer que se queja todo el día por la falta de dinero, una esposa que habla a todas horas por teléfono. Y ha de ser horrible ser papá de siete hijas «sin dote», como dice mi mamá.

Qué bueno que mi papi al menos tuvo un hijo varón que lleva su nombre y con el que puede hablar de las épocas en que fundó el PAN; de los Siete Sabios; de Manuel Gómez Morín; de su poeta predilecto, Manuel Acuña, y de música clásica. Mi papá vive en un mundo lleno de libros y de música. A veces me parece como un fantasma. Cómo me gustaría introducir mi mano a través de su cuerpo y tocar su corazón.

Dice Inés que es otro papá después del accidente. Fue en Laredo, veníamos de Montreal. Mis tres hermanas mayores: Amparo, Inés y Paulina, estaban internadas en un colegio en París. El coche dio tres «maromas en el aire», como dice mi mamá, y le cayó encima a mi papá. Yo tenía seis años y me acuerdo de todo. Mientras mi mamá pedía ayuda de rodillas en la carretera para que se parara alguien y nos ayudara, mis hermanas Aurora, Ana y Emilia, Toño y Margarita, la nana, lloraban y lloraban. Todos llorábamos. Margarita se veía blanca como una hostia. «Me quiero ir a mi pueblo», repetía todo el tiempo. Aurora estaba sentada en una piedra y lloraba muchísimo porque le dolía el estómago. «En caridad de Dios, que

alguien lleve a Antonio al hospital. Se está murien-
do», gritaba mi mamá.

Por fin un coche se llevó a mi papá y a Aurora
al hospital porque eran los más graves. Quién sabe
cómo le hizo mi mamá para mandarnos a los que no
estábamos heridos con diferentes familias de Laredo,
que se habían parado en la carretera para ayudarnos.

—*Do you want a cookie?* —me pregunta la señora
con la que Emilia y yo nos quedamos a dormir.

—*Yes, please* —le contesto tartamudeando.

Tengo miedo. Pienso que mi papá a lo mejor ya se
murió y nadie nos ha avisado. Ni Emilia ni yo sabía-
mos dónde estaba el resto de la familia.

—*Don't worry!* —nos dicen el señor y la señora, y
nos acarician la cabeza con mucha ternura. Nos dan
unas donas con un vaso de leche. Después nos llevan
a un cuarto que tiene un sofá cama forrado de tela
escocesa y muchos libreros. La señora hace la cama
con unas sábanas con muchas florecitas. Esa noche
me hago pipí y para que no se note la sábana mojada,
la cubro con una toalla. Emilia nada más me mira con
sus ojotes azules y llora. Para desayunar nos dan *pancakes* y muchas rebanaditas de tocino.

—*Do you like bacon?* —me pregunta el marido de
la señora con su camisa de cuadritos como el mantel
de la mesa.

—*Yes, thank you* —digo.

Los dos son muy lindos y su casa se parece a las
que salen en la revista *Life* que lee mi papá. Betty,

como se llama la señora, tiene puesto un delantal y lleva pantalones «pesqueros». Con una sonrisa como de anuncio de pasta de dientes Forhans, va y viene de la cocina al desayunador, lleva donas y jugos de naranja. Aunque no hablo muy bien en inglés, me doy a entender.

—*Where are your children?* —les pregunto.

Los dos se miran con ternura y ella dice:

—*We are just married!*

Como mi hermana no entiende ni papa, le digo: «Se acaban de casar. ¿Te gustaría quedarte a vivir con ellos, como si las dos fuéramos sus hijas?». Emilia mueve la cabeza de un lado a otro y se pone a llorar. Sus trenzas, largas y rubias, se mueven como las hélices de un avión.

—*She's a baby* —les digo.

Los dos se ríen. A leguas prefiero a esa mamá que a la mía, que todo el día grita y que no sabe hacer *pancakes* redonditos y dorados como los de Betty. Además, ella nunca compra *bacon*. Para caerles muy bien, les canto una canción que me enseñó Inés y que se llama *Put another nickel in*. Cuando termino hago una caravana, como las que hacía Shirley Temple. Los dos me aplauden mucho. «*She's a doll!*», dicen y me dan de besos.

Creo que nos quedamos dos días, ya no me acuerdo. Lo que sí recuerdo es que estábamos desayunando cuando sonó la puerta muy fuerte: era mi tío Ángel, hermano de mi mamá, de sombrero y con un abrigote de pelo de camello que le llegaba hasta el suelo. «Vengo por las niñas», dijo en español. Después se corrigió y lo tradujo al inglés. Su acento era horrible. *«Tenquiu, tenquiu very moch»*, repetía, muy amable. En los brazos llevaba dos osos de peluche. Todavía tengo el mío, ya se ve muy viejito y le falta un ojo. Después de que el señor nos tomó unas fotos con una cámara Kodak muy grande, nos despedimos de ellos. Yo los abracé muy fuerte y les dije: *«I love you»*. En esos momentos quise que fueran mis papis. Me quería quedar a vivir con ellos, por eso los abrazaba tan fuerte.

Le pidieron a mi tío nuestra dirección en México para mandarnos las fotos, pero nunca nos llegó nada. Me imagino que ahora esta pareja ya tiene muchos hijos, un perro como Lassie y una casa con piscina. Cuando sea grande me gustaría ir a verlos para darles las gracias.

Mi tío nos llevó directamente al aeropuerto. Allí nos esperaban mi mamá con mis hermanas, Toño y Margarita, la nana, que traía un brazo enyesado. Mi papá estaba en una silla de ruedas: tenía la cabeza toda vendada y los ojos bien abiertos, pero sin expresión. Tuve ganas de abrazarlo, aunque no me dejaron acercarme a él. Al entrar en el avión, mi mamá empezó a discutir con el capitán: «Aquí tengo los papeles. Aquí tengo los papeles del hospital», gritaba enseñando un sobre grande.

Lo que pasaba era que no dejaban salir a mi papá de Estados Unidos si no tenía un permiso del doctor.

Por fin, el piloto del avión estuvo de acuerdo en que viajara mi papá. Lo más chistoso de todo es que nunca se le ocurrió ver los papeles: el sobre estaba vacío. Será muy gritona mi mamá pero eso sí, es muy valiente. Por eso cuando hablan de ella sus conocidos, siempre dicen: «Doña Inés es de armas tomar».

Bueno, pues desde ese accidente mi papá ya nunca fue el mismo. Eso dicen mis hermanas mayores, porque yo no me acuerdo de él antes del accidente. Inés dice que si no le hubieran sacado un líquido que tiene un nombre muy complicado y que está en el cerebro, se habría muerto. Por haberle sacado ese líquido tiene dos agujeritos en la cabeza, uno de cada lado. Casi no se le ven, pero yo sé que están allí. Por culpa del accidente a veces noto que mi papá camina un poco chuequito, como que se va de lado. Por eso ahora que va a tener que ir a pie al estacionamiento, me da un poco de miedo que le pueda pasar algo y que se canse mucho.

2

De todas mis hermanas, Amparo, la mayor, es la más distinta. Dice Inés que desde adolescente siempre fue muy rara, demasiado fogosa para su edad. «Cuando estábamos internadas en París era una lata porque no la podía dejar ni diez minutos sola. O se nos perdía, o la encontrábamos platicando con el jardinero del colegio». Coqueta como ella sola, siempre quería llamar la atención, no de los niños bien sino de los meseros o los mecánicos del garaje que está al lado de la casa de mis papás grandes.

Un día nos contó a mí y a mis hermanas que en San Francisco, la iglesia que está enfrente de Los Azulejos, el padre que es su confesor le pidió que lo esperara en la sacristía. Amparo obedeció. Cuando llegó el sacerdote, se subió la sotana y mi hermana vio que no tenía calzones.

Mis abuelos y mis tíos llaman a Amparo la Migaja, porque desde que era niña le encantaba el pan dulce y se comía hasta las migajas. Ellos sí la quieren mucho porque los hace reír con sus ocurrencias. Nunca se me olvidará en qué estado de histeria se puso mi hermana cuando se murió Pedrito, su actor y cantante preferido. Yo tenía once años y me acuerdo perfecto. Lloraba como loca, se arrancaba la blusa toda húmeda por sus lágrimas y gritaba por toda la casa:

—No es cierto. No es cierto que murió Pedro Infante.

Salió a la calle y se fue caminando junto con muchísima gente por todo Río Rhin. Esa noche puso el radio muy fuerte y escuchó todos los boleros de su Pedrito adorado.

—«Amorcito corazón, yo tengo tentación de un beso...» —cantaba junto con él mientras se le escurría un millón de lágrimas.

—Ya quita la música de ese pelado —le gritaba mi mamá desde su cuarto, que está en el segundo piso—. Tienes gustos de criada. ¿De qué te sirvieron los dos años internada en París? Fue dinero tirado a la calle.

Entre más le reprochaba a Amparo sus gustos, más fuerte subía el volumen del radio. Entre los gritos y la voz del «pelado», nadie pudo dormir esa noche.

Los sábados por la tarde vamos toda la familia a la Villa de Guadalupe para agradecerle que no nos morimos en el accidente de coche. A mí me gusta ir porque después de poner las veladoras en ese cuarto tan oscuro que tiene colgados tantos milagros, exvotos, ramos de novia, y hasta trenzas de pelo, vamos al mercado y compramos gorditas recién hechas y envueltas en papel de China de todos colores. Uno de esos sábados se perdió Amparo, mi hermana: mi mamá estaba como loca. Por más que la buscábamos por todas partes, no aparecía. Fuimos a todos los cafés, al museo de cera.

—Ya se fue con el hombre —gritaba mi mamá.

Mi papá no decía nada, y mis hermanas Aurora y Ana iban con su respectivo pretendiente a buscarla a la Cruz Roja.

—¿Cuál hombre? —le preguntaba yo a mi mamá.

—Tú cállate, idiota —me contestaba.

La noche de su desaparición, recé y lloré. Hasta le prometí a la Virgen de Guadalupe entrar de rodillas hasta su altar si regresaba Amparo. Al otro día apareció. Llamó muy tempranito para avisar que estaba en Tula y que ya venía para la casa. Cuando llegó, en lugar de que mi mamá la recibiera con los brazos abiertos porque «el hombre» no se la había llevado para siempre, o porque no la había atropellado un camión o no la había raptado una banda de robachicos, empezó a insultarla.

—Eres una imbécil. ¿Qué vamos a hacer contigo? ¿Te fuiste con el hombre, verdad? ¿Dónde pasaste la noche? ¿En un hotel? Eres una mujer de la calle.

Mis hermanas grandes lloraban y trataban de calmar a mi mamá. Toño, mi hermano, hacía pucheros, y Emilia nada más nos miraba con sus ojos azul clarito. Yo fui la única que abrazó a Amparo. A mí no me importaba que fuera una «mujer de la calle» o que hubiera dormido en un hotel en Tula. Lo importante era que ya había regresado a la casa. De todas mis hermanas, tal vez sea la que me inspire más compasión por la forma en que la trata mi mamá. Me gustan muchas cosas de ella: que sea alegre y cuente chistes, por ejemplo. Cuando mis papás viajan, ella es quien nos cuida a Emilia y a mí. Pero lo que más me gusta de ella es que sea la que más se le enfrente a mi mamá de todas nosotras. Es la única que no le tiene miedo. «No soporto que me obligues a ponerme faja. No soporto tu música francesa ni las faldas escocesas ni los trajes sastres ni los aretes ni los collares de perlas. No soporto que me insultes, que me digas gorda, y que digas que me pinto los ojos como una mujer de la calle. ¿A ti qué te importa si me pongo arracadas, si me gusta Lola Beltrán, si veo las películas de Pedro Infante?». Por eso fue raro que cuando regresó de Tula no se defendiera: se quedó callada con los ojos cerrados. Creo que se sintió culpable porque vio a mi papá, al que adora, muy afectado.

Unos meses después de que se perdió mi hermana en la Villa, mi mamá regresó de un viaje que había hecho a San Antonio con la esposa de un político muy importante. Cuando llegamos del aeropuerto a la casa abrió su petaca en la sala y nos repartió a todos lo que nos había comprado. A mí me tocó un vestido de lino con su abriguito color beige; a Emilia, un suéter de estilo tirolés con pompones; a Toño, unos calcetines de rombos escoceses y a mis otras hermanas muchos suéteres de muchos colores. Al fondo de la maleta descubrimos que había ropa para bebé: camisetitas, baberos, zapatitos tejidos, gorritos, piyamitas y muchas chambritas.

—¿Y eso para quién es? —le pregunté.

—Es para su hermanita.

—¿Nuestra hermanita? —preguntó Emilia.

—Sí, ya la conocerán muy pronto.

¿Dónde la había dejado? ¿Por qué tanto misterio? ¿Entonces mi papá le había metido el frijolito a mi mamá y no nos habíamos dado cuenta de que estaba esperando un bebé? ¿Por qué ninguna de sus amigas le había organizado un *baby shower*? Es cierto que en la casa había mucho relajo y que nadie se daba cuenta de nada, pero de eso a no haber notado la panza de mi mamá, resultaba muy extraño. Hasta mis hermanas grandes se quedaron de a cuatro con la noticia. Unas semanas después nos enteramos de que ese bebé en realidad era la hija «natural» (así se dice cuando los papás no están casados) de mi hermana Amparo y que desde ahora era la hija «adoptiva» de mis papás. En realidad, quien le había metido el frijolito a mi hermana era «el hombre».

—Tienes que ser muy discreta, Sofía —me dijo Inés, que es mayor que yo—. Mis papás han sufrido mucho por lo de Amparo, así que calladita. Somos tantas hermanas en la familia que poco a poco la gente se irá acostumbrando al nuevo bebé. Pero, por favor, no lo platiques a los cuatro vientos. No se lo cuentes a nadie.

Por las noches rezaba por el alma pecadora de mi hermana y por la de mi nueva hermanita. A pesar de que quería tanto a Amparo, me preguntaba si no era como María Magdalena por haber caído en el pecado de la carne, como decía mi tía Guillermina. «Perdónala, Dios mío, por haber cometido un pecado mortal. Perdónala porque es una hermana muy linda y muy buena, aunque un poquito desbocada. Lo que pasó fue que se enamoró y cayó. Te pido por el alma de la pequeña Leticia, que no tiene la culpa y ahora es mi hermanita adorada».

Cuando nació Lety, yo tenía doce años. Nada más llegar del colegio corría a ver a la bebé más linda del mundo: la cambiaba, le daba su biberón y la consentía todo lo que podía. Finalmente, Leticia no tenía nada más una mamá, éramos cinco las hermanas que nos peleábamos por ocuparnos de ella. Mi mamá no la fumaba, actuaba con ella como si no existiera; en cambio, mi papá la adoraba. Un día le di equivocado su biberón: quién sabe quién lo había llenado con pura leche Carnation, sin diluirla con agua. Cuando me di cuenta ya era demasiado tarde, se lo había tomado todo y para nuestra sorpresa no le había caído mal ni pesado; al contrario, le gustó. Desde que Lety era una bebita, siempre fue muy comelona y muy gordita. Con su pelo chino y sus ojotes negros, parecía bebé de los anuncios de Gerber. Una mañana, mientras ponía un poco de orden en su recámara, encontré debajo de su cama una bolsa de la panadería Colonial llena de bolillos, unos viejos todos mordidos y otros enteritos, totalmente húmedos. Entonces tendría como tres años.

—Oye, Lety, ¿qué es esto?

Vi cómo se puso roja, roja; sus ojos se llenaron de lágrimas que pronto comenzaron a rodar por sus cachetes y caían sobre sus manos regordetas. Me dio tanta ternura. La abracé y le dije con un nudo en la garganta:

—Ya, Lety, no te pongas triste. Con todos los ratoncitos que hay en la casa, si dejas por todos lados pan viejo se van a multiplicar y la casa se llenará de ratones. Además, no debes comer tanto. ¿Verdad que no te gusta que mi mamá te llame gordinflona?

Lety es igual de bondadosa que su mamá. Cuando ella sea más grande, voy a contarle que una vez conocí a su verdadero papá. Como en esas fechas no teníamos muchacha, fui yo la que le abrió la puerta: era un señor muy alto, con cara de buena persona, así como la de Fernando Soler. Amparo, vestida con su falda plisada y su suéter verde oliva muy ajustado, ya estaba en la sala, esperándolo nerviosísima con mis papás. Cuando lo vio aparecer se le iluminó la cara. Se sentaron en el sillón frente a mis papás y él le tomó la mano. Eran una pareja de enamorados. Estaba a punto de sentarme en uno de los banquitos, esos que bordó mi mamá en punto de cruz, cuando mi papá me ordenó: «Vete a tu cuarto». Veinte minutos después vi pasar a Amparo con la cara cubierta de lágrimas.

—¿Qué te pasa? —le pregunté.

—Odio a mi mamá, la odio con todo mi corazón.

Se encerró con llave en su cuarto. Un momento después apareció mi mamá: venía furiosa, con su puño y su pulsera de oro daba de golpes en la puerta.

—Ábreme, Amparo. En caridad de Dios, no vayas a hacer una locura. ¿Que no te das cuenta de que ese hombre no te conviene? Está divorciado, no te vas a poder casar por la Iglesia. Además, es un bueno para nada. ¿Cómo te vas a casar con un locutor de quinta? Tú lo que necesitas es un hombre con carrera, un hombre de carácter para que te tranquilice y te meta en cintura. Amparo, abre esta puerta. Ya no le hagas pasar más corajes a tu papá. ¿Así nos pagas después de todos los sacrificios que hemos hecho por ti? Eres una malagradecida, pero en esta vida todo se paga. Piensa que el pretendiente que tienes en el Banco Bursátil se quiere casar contigo con la condición de que adoptemos a Leticia. Me dijo que lo van a mandar a Nueva York. Te irías con él, ya como casada. No seas estúpida, Amparo, abre esta puerta o hablo a los bomberos.

No era la primera vez que mi hermana mayor se encerraba con llave. Un día, mi mamá la insultó tanto que de la ventana Amparo arrojó una piedra envuelta en un papel en el que había escrito: «En esta casa no me quieren. Sálvenme, por favor». Fue una de las señoritas Palacios, dos viejitas solteronas, nuestras vecinas, la que recogió el bultito y se lo entregó a mi mamá.

Nunca se me olvidará la boda civil de Amparo. Aunque en el fondo todo el mundo estaba triste de que se casara a la fuerza con el muchacho del banco, hacíamos como que a todos nos daba un chorro de gusto. Junto con mis hermanas y las dos criadas que contrató mi mamá especialmente para la ocasión, limpiamos los candiles de la sala y el comedor con agua de amoniaco, la plata y los candelabros con mucha estopa y Silvo, las alfombras y tapetes con espuma de jabón, las ventanas y los espejos con papel periódico mojado. Se mandaron a componer las persianas y se lavaron las cortinas. Se contrataron meseros, se compraron botellas de vino, *whiskey* y *champagne* en La Madrileña. Se rentaron cubiertos, copas y vasos con Rosendo Pérez. Los bocadillos los sirvió una amiga de mi mamá que se llama Mayita Gómez de Parada; no sólo le pidió rebaja sino que le suplicó poder pagarle la cuenta hasta después. «Considérame, por favor. ¿Qué no hace una por los hijos?», le dijo con una expresión de la Dolorosa.

Lo que sea de cada quien, mi mamá hizo también unos ramos de flores preciosos, de verdad bonitos. Pero lo que más le importaba de la boda de mi hermana era la lista de testigos, de invitados y los regalos. El expresidente Miguel Alemán, uno de los convidados de honor, les regaló a los novios un juego de maletas de piel color azul clarito con todo y *nécessaire*; el doctor Gustavo Baz, gobernador del Estado de México, un juego de té de plata; el general Alberto Salinas Carranza, un juego de copas de cristal cortado para doce personas; Manuel Gómez Morín, una medalla de oro de la Virgen de Guadalupe y el doctor Torroella, una sopera de porcelana francesa. Mis tíos les regalaron dinero.

Todos los testigos iban de traje oscuro y corbata muy formal. El peor vestido era el novio: no sé por qué se puso una corbata rayada negra y blanca que ni siquiera era de seda. Amparo, mi hermana, llevaba un vestido azul, sin mangas, hecho de tafeta de seda. Se veía que hacía muchos esfuerzos para poner cara de novia: así la puso frente a la cámara del fotógrafo de la revista *Social*. A como diera lugar tenía que guardar las apariencias frente a los demás y lucirse como la novia más pura del mundo. No soltaba la mano del novio. Él tenía cara de satisfacción por casarse con una niña bien cuya familia, aunque no tuviera dinero, sí tenía muchas relaciones y para él, que estaba subiendo en el banco, valía más que si mi hermana hubiera tenido dote. Mi mamá estaba preocupadísima atendiendo a la señora Alemán y a su tía Lupe Pacheco, que vino especialmente a la boda desde Guadalajara.

—Esta es la primera que, a Dios gracias, se me casa con un muchacho muy trabajador y decente. Y todavía me faltan todas las demás —comentaba mi mamá, ataviada con un vestido de lana muy delgada y su inseparable collar de perlas alrededor del cuello. Como había ido a peinarse al salón Esperanza se veía muy bien, muy semejante a como aparece fotografiada en el libro de *Los Trescientos y algunos más*. Mi papá, el más elegante de todos los señores, platicaba muy serio con el que dice que es su maestro admiradísimo, Manuel Gómez Morín, y con el doctor Gustavo Baz, quien después del accidente de coche lo operó gratis. El novio platicaba con sus hermanos, que vinieron de Durango. Nadie los conocía. De lejos se veían como muy de provincia, como que nunca habían venido a la Ciudad de México. Uno se parecía a David Silva, el otro le daba un aire a Fernando Fernández. Cuando saludaban a los otros invitados, lo hacían con muchas reverencias y sonrisas. «Mucho, mucho gusto». «A los pies de usted». «A sus órdenes».

Mi única invitada fue mi amiga Carmen: llegó elegantísima, con un vestido muy escotado y zapatos de tacón muñeca. Se veía como de veinte años y se sentía soñada. Como diría su hermano que tanto la quiere, «estaba hecha un cuero». En cambio, yo llevaba un vestido camisero muy sencillo que me hizo Otilia, la costurera, y zapatos de charol con un moñito en el centro. Para lucirme con todo el mundo, llevaba los bocadillos en una enorme charola de plata: «¿Gusta un camaroncito?». Carmen me ayudaba ofreciendo las servilletas. Toño, mi hermano, oliendo muchísimo a Old Spice, le hacía conversación al dentista de la familia, el doctor Velasco Zimbrón. Mis hermanas platicaban de lo más a gusto con mis tías.

—Qué bueno por Amparito, ¿verdad? —decían de lo más hipócritas, cuando muchas de ellas ya sabían lo de Lety.

—Él se ve muy buena gente. Se conocieron en el banco, ¿verdad? Dios quiera que sean muy felices. ¿Es cierto que se van a vivir a Nueva York? —preguntaban las tías, de lo más chismosas.

De pronto veo al fondo de la sala a mis papás platicando con el novio. Quién sabe cuántas cosas les comentaba porque los dos tenían cara de preocupación. Amparo nada más decía que sí con la cabeza. Fue Inés la que me contó después que el novio quería que Amparo se casara de blanco, lo cual en el caso de mi hermana, después de haber tenido una hija fuera del matrimonio, no era permitido por la Iglesia católica; pero como el novio era muy católico y había que seguir guardando las apariencias, Amparo debía casarse vestida de novia. ¡Qué relajo! ¿Dónde iba a comprar el vestido si la boda era al día siguiente, es decir, domingo, al mediodía?

Hubiéramos necesitado una madrina como la que sale en la película de *La Cenicienta* para que le hiciera su vestido a mi hermana en un dos por tres. Inés se veía muy afligida, hacía todo por tranquilizar a mi mamá. Amparo parecía ida y a todo le decía que sí al novio. Mi papá tomaba no uno, sino varios *whiskies*. Mi tía Guillermina preguntaba a mis hermanas, curiosísima, qué había pasado. ¿Y mi mamá? En la cocina, tomando una cucharada de bicarbonato, porque empezó a sentirse fatal por las agruras. Mientras tanto Lety, de tan sólo unos meses, dormía de lo más tranquila metida en el ropero del cuarto de mis papás. Nos daba pavor que llorara y que todo el mundo preguntara: «¿Hay un bebé en la casa?». Por eso yo subía a verla cada cinco minutos: «Calladita, bebé. No se te vaya a ocurrir ponerte a llorar en estos momentos; sería de lo más imprudente. Mejor sigue soñando con los angelitos, ¿*okey*?», le decía muy quedito con mi copa de *champagne* en la mano.

Al otro día, mi mamá se despertó a las seis de la mañana. Mi papá la llevó al Centro, a la calle donde venden los vestidos de novia, cerca de la Lagunilla. Mis demás hermanos, crudos, se quedaron en la cama, incluida la novia, que se pasó toda la noche vomitando porque había comido demasiados bocadillos.

En el coche, mi mamá no dejaba de quejarse del novio:

—Primero nos dice que no importa que Amparo no se case de blanco, y ahora resulta que si no se casa de blanco, no se casa. Claro, dadas las circunstancias no nos podemos negar. Ay, cuántos dolores de cabeza nos ha dado esta estúpida. Y luego tan gorda, a ver si le encontramos un vestido de su talla.

Mi mamá tenía en su bolsota el sobre de dinero que mis tíos le dieron a Amparo y lo guardó para el vestido.

—A estas horas todo está cerrado. ¿Qué vamos a hacer, Dios mío?

Después de dar vueltas y más vueltas a la manzana buscando una tienda abierta, mi mamá le dijo a mi papá que se estacionara justo frente a una vitrina donde había muchos vestidos de novia y de quince años. Híjole, unos eran más cursis que otros, llenos de encajes y tules muy almidonados; todos se veían como los que usan las novias de las películas de Mauricio Garcés. Se paró frente a la cortina de fierro y comenzó a pegarle de puñetazos, ¡*bum, bum, bum*! Entre más fuerte pegaba, más eco hacían los golpes en toda la cuadra. Era muy chistoso ver cómo se movían en el aparador los maniquíes vestidos de novias por los golpazos que daba mi mamá a la cortina. Por un momento imaginé que algunas de estas «novias» se volverían de carne y hueso y saldrían corriendo por toda la calle de República de Chile. Instalado frente al volante, mi papá no decía nada. Se veía muy pálido y ojeroso.

¡*Bum, bum, bum*!, siguió haciendo la cortina hasta que se asomó a la ventana del piso de arriba un señor calvo y gordo con camiseta.

—¿Qué pasa?

—Ay, señor, por caridad de Dios, ¿no sabe dónde vive el dueño de la tienda de los vestidos de novia?

—Soy yo, señora. ¿Qué se le ofrece?

—Necesito comprar un vestido para mi hija que se casa hoy en San Felipe.

—¿Hoy? ¡Qué barbaridad! Ahorita bajo. Espéreme.

Después de regatear con el señor de la camiseta, mi mamá se subió triunfante al coche con el paquete.

—Me lo dejó regalado. Era el más bonito de todos, el más sencillo.

Le contó al señor que como tenía tantas hijas solteras, a todas les iba a comprar sus vestidos de novia en su negocio. Le dijo que Amparo se casaba con un banquero muy importante de Nueva York, que le había mandado su vestido de por allá pero que se lo habían robado en la aduana y que por más que lo habíamos reclamado, no fue sino hasta ayer que nos avisaron que se había perdido. Así es mi mamá: cuando hay una crisis es capaz de contar las historias más inimaginables del mundo. Lo hace tan bien que siempre se sale con la suya. Esto lo sabe mi papá, por eso le tiene tanta confianza y la deja actuar libremente.

Por increíble que parezca, unas horas después Amparo entraba a San Felipe, vestida toda de blanco, del brazo de mi papá. El novio tenía una sonrisa de oreja a oreja. A lo lejos se escuchaba al órgano tocar una música muy bonita. De cada lado del pasillo de la iglesia había grandes jarrones repletos de azucenas. La familia y los invitados empezamos a entrar al templo con absoluta reverencia, como si estuviéramos asistiendo a la boda de una princesa. «¿Ya viste qué bonito vestido lleva Amparito? Conociendo a Inés, seguramente se lo mandaron de París. Con esa mantilla se ve precioso», escuché que le decía Lola Zubieta a Lupita de la Arena. Mi papá grande tenía los ojos llenos de lágrimas. Mi tía Esthercita no dejaba de rezar el rosario con sus manos enguantadas.

Un mes después de la boda, la revista *Social* dio parte de la ceremonia civil de Amparo. En la foto principal se ve a mi hermana rodeada por sus testigos y mirando fijamente al lente de la cámara. En la fotografía inferior aparecen mis papás, mis tías, Lupe Pacheco de Landero, Elena Díaz Lombardo de Baz, doña Beatriz Velasco de Alemán y la señora Sara Bertha Stevens de Salinas Carranza.

Al día siguiente habrían de celebrar su boda religiosa en el templo de San Felipe y festejar tan especial suceso con un banquete que tendría lugar en la residencia del tío de la novia en San Ángel para después trasladarse a Nueva York, donde fijarán su residencia.

Mi mamá nos dijo que Amparo iba a ser muy feliz en su nueva vida. Unos meses más tarde, mi hermano Antonio fue a Nueva York a visitarla. Nos dijo que vivía en un lugar horrible, en un departamento minúsculo; era tan chiquito que no tenía lugar ni para lavar los trastes, Amparo los limpiaba en una tina. Nos contó que había visto a mi hermana sin muchos ánimos, no importa lo que haya dicho mi mamá. No se me olvida la vez en que nos llamó llorando, de larga distancia y por cobrar, porque su esposo le había pegado y le había roto no sé cuántas costillas.

3

Estoy en el salón de clases del Queen Mary. Llevo mi delantal de cuadritos, muy almidonado. Me siento rara, extraño el uniforme del Francés. En el salón hay ventanales que dan a Río Éufrates, a sólo unos pasos de donde vivo. Me tardaría menos en ir al baño de mi casa que al de mi nuevo colegio. En las paredes no hay ninguna imagen de vírgenes o santos, tampoco crucifijos. No conozco a nadie. Todas mis compañeras se ven como señoritas muy formales. Las que están más próximas a mi papelera me miran con curiosidad.

—¿Cómo te llamas? —me pregunta una güera oxigenada.

—Sofía —respondo. Me doy cuenta de que se lo digo quedito y con mucha timidez. Soy otra. Actúo como niña expulsada de un colegio de monjas.

Todas las clases son en inglés y yo lo hablo muy mal. En el recreo, no sé con quién platicar. «Tus papis son muy amigos de mis papás», me dice *miss* Elena al pasar muy cerquita de donde estoy. Le sonrío. Veo que tiene los ojos azules y unos labios muy carnosos. Es bonita y no se maquilla nada. Me muero de ganas de conocer su apellido y preguntarle a mi mamá si conoce a su familia. Ella platica con *miss* Bertha y *miss* Peña, la maestra chaparrita. Mientras comen sus sándwiches envueltos en papel encerado, se mueren de la risa. Las tres son mis maestras de *special*, que es como primero de secundaria. Aquí no hay muchas niñas bien. En el recreo se me acerca la güera falsa y me dice que se llama Deborah, pero que todo el mundo le dice Deby.

—¿Tienes novio? —me pregunta.

—No —le contesto un poco avergonzada.

—Yo sí. Tengo tres —dice y se echa una carcajadota.

En seguida me ofrece un cigarro Kent.

—Gracias, no fumo.

—Híjole, qué fresa. ¿Saliste de un convento? Libérate.

En seguida se pone a fumar como Sarita Montiel en la película *El último cuplé*. Lo hace despacito, traga el humo y lo echa en forma de donitas con sus labios pintados de rosa. Se siente soñada, la verdad se ve un poco ridícula fumando con el uniforme puesto.

—¿Por qué me ves así? Ay de ti si vas con el chisme con la *miss* Elena. Ella dice que soy una «rebelde sin causa». Yo le digo que tengo todas las causas del mundo para rebelarme.

—Por rebelde me corrieron del Francés.

—Ah, entonces eres de las mías. Bienvenida al club.

Por más que trato de evitarlo, no puedo dejar de mirarla. ¿Cómo es posible que esa niña, que no es precisamente un cuero, tenga tres novios y yo ni siquiera uno? Si por lo menos tuviera un pretendiente. Hasta la fecha, no hay quien me eche un lazo. Esto me tiene muy preocupada y me pregunto todos los días qué me pasa. «Paciencia, paciencia», me repito. A mi mamá le cae como bomba que ni un niño me hable por teléfono, y ahora que estoy expulsada, peor. Amparo e Inés ya se casaron, y mis demás hermanas tienen novio. Por lo general salen en parejas: van a las carreras del Hipódromo y al Jockey Club o a las fiestas donde va *tout le Mexique*, como dicen en francés. Muy seguido salen fotografiadas en la sección de sociales del *Excélsior* y en la revista *Social*. Las dos regresaron de Francia guapísimas. Aurora le da un aire a Brigitte Bardot y se peina igual que ella, por eso todo el día le canto la samba que dice: «Brigitte Bardot, Bardot..., B. B...», hasta tiene los mismos labios gruesos y carnosos. Dice mi mamá que de todas nosotras es la más atractiva. La verdad es que es su consentida, que dizque porque le recuerda a mi abuela, una niña bien tapatía. Un día, para molestarme, mi mamá me dijo que me parecía a Aurora... pero en feo. Lo peor de todo es que se lo creí. Siempre nos está poniendo unas contra las otras, que si le tenemos envidia a una o a la otra, que si una habla mejor francés, que si una tiene mejor tipo o que si una tiene mucho más cacumen. Para colmo, le encanta ponernos etiquetas: «Amparo, desde que nació, era una niña problema. Inés y Emilia son las más inteligentes. Aurora, la más femenina. Paulina, la más lista pero con muy poca suerte. Ana, la más audaz y cerebral. Toño, el más brillante de su generación. ¿Sofía? La tonta de la familia».

Ana me recuerda a Marina Vlady o a cualquiera de las modelos que salen en la revista *Seventeen*. Tiene los ojos chiquitos y azules, su pelo es muy rubio. Como es tan delgada, toda la ropa le queda bien. Me encanta cuando se pone su gabardina azul clarita, se ve como la típica parisina. Eso sí, no tiene nada de busto y sus piernas se parecen a las de Olivia, la novia de Popeye. Le encanta la música, sobre todo su nuevo disco de *bossa nova* que compró con su primer salario del Asunción. ¡Me encanta!

Toño sale con muchas niñas del club Vanguardias. Creo que le gustan medio mochas, es decir, muy bien portaditas. Un domingo nada más quedaban dos huevos para el desayuno: «Esos son para su hermano, porque necesita que se desarrolle su inteligencia. Como ustedes, niñas, se van a casar, no tienen ninguna necesidad, así que coman Corn Flakes».

Total, que la única de la familia que está «soletas», como dice mi amigo Carlos, soy yo. La buena noticia, en todo caso, es que al menos ya me voy acostumbrando al colegio. Gracias a Deby no la paso tan mal. A pesar de todo lo malo que cuentan de ella, a mí me cae bien. Reconozco que me hace reír mucho y me gusta que no sea hipócrita como las niñas del Colegio Francés. Yo creo que Deby tiene «pegue» porque es muy coqueta. Se viste con pura ropa comprada en San Antonio: vestidos de flores muy escotados, zapatos de tacón. Además se pone kilos de rímel, se pinta con delineador negro hasta dentro de los ojos y con sombras de muchos colores, y lleva unas uñotas largas pintadas de nacarado como las de Celia Cruz.

El viernes por la tarde, Deby me invitó a una feria en la colonia Irrigación; yo nunca había ido a esa colonia, que está a un ladito de Polanco. Nos llevó su chofer en una camionetota Ford. Nos acompañó su nana María, que tiene una cara como si todo el día estuviera chupando chamoys. No sé por qué mis amigas que ya tienen quince años siguen teniendo nana, si de todas maneras se portan peor que todas.

Al primer juego que nos subimos fue a la Casa de la Risa. La nana, toda uniformada de blanco, se quedó afuera cuidando nuestros suéteres y nuestros refrescos. Entramos como en un vagón de tren, un señor nos sentó en una banca vieja y nos dijo que nos agarráramos de un tubo todo oxidado. En las paredes había puros espejos. Entonces todo empezó a dar vueltas: sentí que el piso de tierra había desaparecido, que me iba a caer por un agujero y que los espejos me iban a rebanar la cara. Yo estaba muerta de miedo, Deby se reía y se reía. Le pedí al señor que por favor le parara. No me hizo caso: también se reía con sus dientes de oro mientras miraba las piernas de Deby.

Cuando salimos de la Casa de la Risa, casi no podía caminar. Cerré los ojos para quitarme el mareo y cuando los abrí ya no vi a Deby: tampoco estaba su nana ni el chofer ni la camionetota. Me quedé sola, todo me daba vueltas. Caminaba como borrachita entre los vagones de la feria. A lo lejos se veían unos foquitos de todos colores que colgaban de un cable. «Niña, ¿no quieres jugar a los aros?», me preguntó el señor de un puesto. «Por tan sólo cincuenta centavos descubre a la mujer barbuda», me dijo otro. «¿Quieres conocer a la mujer que por desobedecer a su papá se convirtió en araña?», agregó alguien más. Tenía miedo de quedarme allí para siempre y que uno de esos señores me robara y acabara como parte de la feria.

—¡Aquí estoy, babosa! —me gritó Deby. Estaba comiendo un algodón de azúcar. Tenía los cachetes llenos de dulce.

—Ya me quiero ir a mi casa.

—¿Cómo crees?, si acabamos de llegar. Apúrate que ya va a empezar el Látigo, es más padre que el otro.

Me tomó de la mano y me jaló hasta que llegamos a uno de los carritos. El Látigo dio un tirón tan fuerte que casi salgo volando. Me dolía el estómago. Me quería bajar, pero no se podía porque apenas había empezado el juego.

De regreso de la feria terminé vomitando en la camioneta. «¡Qué asco!», gritó mi amiga. «¿Me pueden por favor llevar a mi casa?», le suplicaba al chofer. La nana me pasó un Kleenex, después sacó su pañuelo y se cubrió la nariz. Por fin llegamos a mi casa. Me bajé de la camioneta con lágrimas en los ojos. Le dije adiós a mi amiga con la mano. Ella me *pintó un violín*.

Diez minutos estuve tocando la puerta de la casa. Nadie me abría. Tocaba y volvía a tocar y nada. De repente apareció mi mamá con su traje sastre negro y su blusa blanca color crema. La vi enorme, como una montaña gigantesca.

—¿Por qué tocas así? ¿Qué, estás loca? Ya sabes que no tenemos criada.

—Es que me muero de ganas de ir al baño —contesté por decirle algo, sintiéndome chiquita, chiquita.

Mi mamá regresó a su sillón para seguir hablando por teléfono con Lola Zubieta. Cuando llegué a mi recámara, me acosté de inmediato y lloré y lloré hasta la hora de la cena.

Esa noche juré que ya no sería amiga de Deby. Pero al otro día, en el colegio, actué con ella como si no hubiera pasado nada.

A partir de entonces, Deby y yo somos como uña y mugre. Nos divertimos como enanas. En lugar de estudiar, nos pasamos las tardes bailando *twist* con los discos de Chubby Checker o en el boliche de Polanco. También nos dio por ir al autocinema de Coyoacán en el Thunderbird de su mamá y a comer hamburguesas a Klein's.

—¿Nunca has ido al bar del hotel Geneve?

—¿Cómo crees?

—Es muy bonito.

—¿Qué tal si me encuentro al novio de mi hermana Aurora? Él siempre va al Geneve a buscar el programa de las carreras de caballos.

—Eso le dice a su noviecita santa, te aseguro que va a ligar con las gringas que vienen a los cursos de verano. Nada más vamos un ratito y después te llevo de volada a tu casa.

—Bueno, pero nos quedamos muy poquito.

—*Okey*, maguey.

Llegamos al *lobby* del hotel Geneve. «Buenas noches, señorita Deborah», saluda el de la puerta. Eran como las seis de la tarde, había mucha gente, en especial «las primitas del norte», como les dice Freddy Félix Díaz a las gringas. Guapísimas, de pelo largo, todas bronceadas y de minifalda. Deby caminaba sobre la alfombra, que parecía como colchón, con sus pantalones floreados de «pata de elefante». Yo, para variar, llevaba mi falda escocesa *kilt*.

Al llegar al bar, Deby pidió una cuba y me preguntó qué quería. Por lo general no pido Coca-Cola porque dice mi mamá que le pueden meter pastillas que te atarantan para luego abusar de ti. Como no sabía qué pedir, dije que una conga con mucho hielo. Mi amiga estaba a punto de prender su cigarro cuando apareció frente a su cara un encendedor dorado.

—*May I?* —le preguntó un muchacho que aguantaba un piano, igualito a Troy Donahue, con el mismo pelo rubio y los mismos ojos azules.

—*Of course* —le contestó.

En seguida empezaron a platicar, a fumar y a beber. Quién sabe qué tanto le contaba Deby que el muchacho se moría de la risa. En cambio, el que me tocó a mí estaba para los *lions:* horripilante con sus anteojos de fondo de botella y mal aliento. No sabía de qué platicarle.

—*What is your name?*

—Sofía.

—*I like Mexico very much.*

—*Me too.*

—*I love the Mexican food. The* tacos *with* guacamole.

—*Me too.*

—*Do you like The Beatles?*

—*The what?*

En ese momento, me di cuenta de que ya no estaban mi amiga ni el gemelo de Troy Donahue. Se desaparecieron y me dejaron sola con el anteojudo.

—*Where is Deby?*

—*Don't worry. She's with my friend* —me dijo con una sonrisita idiota.

Me sentí furiosa. ¿Cómo era posible que me dejara allí en el bar sin avisarme que ya se iba? Me levanté de mi asiento. Le dije adiós al cuatro ojos y me fui a la casa caminando. Cuando llegué me preguntó mi papá por qué no había hablado por teléfono para avisar dónde estaba.

—¿Qué horas son estas de llegar? ¿Dónde estabas?

—Fui a la Votiva. Después me entretuve con la señora de las quesadillas que se pone frente al Elizondo. Como tenía mucha gente, tuve que esperar un buen rato. Después pasé a ver a mi amiga Carmen y me vine para la casa.

Más tarde me llamó Deby y me dijo que el muchacho la había invitado a su habitación y que de plano quiso propasarse con ella. Que salió corriendo por las escaleras y él detrás de ella. Me fue a buscar al bar y como ya no me encontró, se fue a su casa. Me dijo que ahora sí se había asustado.

—Es que los gringos son muy aventados. ¡Luego luego quieren *to fuck!* ¿Qué les pasa? Creen que las mexicanas somos igual de locas que las gringas.

No lo podía creer, yo que juraba que Deby era una loca… y que para ella ese tipo de ligue era de lo más normal. Quizá no sea tan *locona*… pero a veces se comporta como si lo fuera.

4

La casa donde vivo no mide más de setenta metros cuadrados, se ve más grande porque tiene cuatro pisos. En el primer piso hay tres recámaras y un baño con regadera. En el segundo está la habitación de mis papás con su baño, una gran terraza y una inmensa biblioteca con muchos, muchos libros; dice mi papá que los ha leído todos. En el tercero está el cuarto de las muchachas y una terraza con muchas jardineras de fierro forjado. Durante las vacaciones, es allí donde Emilia y yo acostumbramos darnos manguerazos con agua helada y tomar el sol.

—¿A dónde te fuiste en Semana Santa, Sofía?

—A Acapulco, ¿no ves lo quemada que estoy?

La distribución de las recámaras de la casa siempre ha sido un rcto para mi mamá. Amparo e Inés dormían en la que da a la calle, donde ahora duermen Ana, Paulina y Aurora. En la de en medio dormimos Emilia, Leticia y yo. Y en la tercera, la más pequeña de todas, es donde duerme solito Antonio, «el hombre de la casa». Su recámara, que es minúscula, siempre está impregnada del olor de su colonia Old Spice.

Mi mamá compró la casa «con muchos sacrificios» allá por los años cincuenta. Me gusta mucho mi colonia porque sus calles tienen nombres de ríos: Balsas, Pánuco, Tigris, Sena, Rhin, Lerma, Niágara, Tíber, etc. En la colonia Cuauhtémoc se puede andar en bici, en patines y hasta en patín del diablo. Está el IFAL, en donde estudia mi mamá y pasan películas francesas como *Juegos prohibidos* o *El globo rojo*, que me encantó. Allí también a veces representan una obra del Teatro Fantástico de Enrique Alonso, un día me lo encontré y le pedí un autógrafo. Mi colonia es muy elegante, porque viven muchas familias bien y porque está muy cerquita del Paseo de la Reforma y de la Zona Rosa, que es como el Barrio Latino de París. Hay tres cines muy bonitos: el Chapultepec, el Roble y el Latino. Otros dos cines, a los que también se puede ir a pie y en donde siempre pasan películas para adultos son el Paseo y el París. Yo vivo en Río Nazas, esquina con Río Rhin, donde hay un edificio gris y muy feo. Allí, en el primer piso, vive una señora loca; todas las mañanas sale por la ventana en bata, toda despeinada, y a gritos pregunta si es domingo o jueves. Dice mi mamá que es una niña bien a la que plantaron con todo y vestido de novia, y que es hermana de un escultor muy importante. A mí ella me da mucha lástima, me da miedo que un día se tire de cabeza a la calle. Tal vez piensa que en lugar de estrellarse contra la banqueta caerá en las aguas del río Rhin.

A mi mamá le encantan las antigüedades, su máximo es conseguirlas lo más baratas posible para luego presumírselas a sus hermanos, que para ella son una bola de envidiosos. Por eso se pasa muchas mañanas de domingo regateando en la Lagunilla con su viejo marchante: Chacharita. Él puede conseguirles a sus clientes desde un juego de té de plata que, según él, perteneció a Iturbide, hasta las fotografías de una yegua fina, exalumna del Colegio Francés, llamada Nahui Olín, donde aparece completamente desnuda.

Después de visitar las tiendas de antigüedades, mi mamá desayuna casi a diario en el Sanborns de Madero con sus amigas «las comulgantas» y sus amigas «las comunistas». Con las primeras habla de los chismes de la sociedad y con las segundas, de pura política. Mi mamá conoce a todo el mundo en Sanborns, todo el mundo la saluda y todo el mundo quiere platicar con ella. Las meseras, especialmente Pera, la adoran. Para su desayuno siempre pide lo mismo: huevos tibios, pan tostado y una gelatina.

Al salir de Sanborns, mi mamá va a la tienda de su amigo el anticuario Paco de la Granja. Allí, en medio de las mejores antigüedades de México, platica con él durante horas hasta que consigue, por tratarse de ella, que le venda una Virgen de Guadalupe del siglo XVIII en tan sólo dos mil quinientos pesos. Si no se le hace muy tarde, mi mamá corre hacia el Monte de Piedad: encuentra a muy buen precio un collar de perlas para una de mis hermanas, o un lote de cucharas soperas de plata antiguas que, según ella, le hacían falta. De allí se va al mercado de San Juan, con su *pollera* de toda la vida, y le compra dos pechugas bien gordas y grandes como le gustan a mi papá, y muchas piernas con cuadriles para el resto de la familia. Cuando finalmente llega a la casa, cerca de las tres de la tarde, regaña horrible a la muchacha porque no se le ocurrió poner el arroz a remojar. Se quita el saco de su traje sastre negro, se remanga las mangas de su blusa de seda y, de pésimo humor, introduce grandes pedazos de jitomate en la licuadora Osterizer para la salsa del pollo o del cuete de res, al mismo tiempo que dice: «Todas son iguales. Una bola de indias inútiles. Mientras más se les paga, más abusan»…

Por eso en mi casa nunca tenemos dinero, por las «espléndidas gangas y hallazgos» de mi mamá. Por eso en el comedor hay tantas charolas y jarras de plata. Y por eso las paredes están llenas de retratos con marcos ovalados en hoja de oro de vírgenes y santos coloniales: San José, el Señor de Chalma, la Santísima Trinidad. La mesa del comedor es para doce personas, también hay dos grandes consolas cubiertas con una plancha de mármol. Los candiles y toda la plata se reflejan en dos enormes lunas que cubren por completo los muros. Viviremos como la gente bien, pero sin un centavo.

18 de julio de 1962

Mi querida Amparo:

Te estoy escribiendo bajo un estado de ánimo perdido. Acabo de tener una discusión con mi mamá, en la cual llevé todas las de perder. Bajé de su cuarto llorando y en seguida pensé en ti. Sólo tú me podrás comprender y consolar, Amparo, porque sé que tú también has atravesado por lo mismo.

En la última carta que te escribí te puse que ya no me gustaba buscar apoyo en nadie sino valerme por mí misma, mas tal parece que este sentimiento de necesidad de desahogarme es más fuerte que yo, por eso te escribo con el corazón triste y la cabeza atareada con tanta idea.

Figúrate que hace dos días tengo una gripa horrible. Al medio día estaba harta de la cama y de mi cuarto, me levanté. Mi tía Guillermina me vino a ver por la tarde: estuvimos en el café Marianne de Río Rhin cerca de hora y media, le platiqué mis últimas inquietudes, mis momentos de soledad, mi descontento hacia muchas cosas. Le pregunté por qué se había quedado soltera y dejado ir tanto, por qué no había forzado el destino, le comenté que su vida me parecía desperdiciada tontamente. Estuvo de acuerdo conmigo; sin poder esconder un tono triste de abnegación, me decía que mucho la descontrolaron los problemas que tuvo a mi edad con la tiroides, después el uso de los anteojos, la enfermedad de mi mamá grande, la manera de ser de su papá y el tremendo pasar del tiempo.

Concluimos que lo mejor es aprovechar los años jóvenes y conseguir la meta de cualquier muchacha normal: el matrimonio. Me decía sinceramente que no valía la pena encerrarse tanto en uno mismo, profundizar, desmenuzar, que lo mejor era vivir con la época, no perder contactos, no aislarte. Le di la razón, lo otro habría que dejarlo para cuando tenga cuarenta años.

Me animó mucho y yo le aseguré ver todo diferente y tomar las cosas como vengan, proponerme tomar la vida con alegría por tener a mis papás, tenerlos a ustedes, mi casa, mi religión, mi entendimiento, mis facultades, y por último, por ser yo. La dejé tomando su camión.

Mi mamá ya se había acostado, subí a verla y me recibió con una cara que en seguida preví la tormenta. Me dijo cosas espantosas, tales como que estaba salada, que nunca le había atinado a nada en la vida, que era muy tonta, sin carácter ni hechura, que le daba lástima, me echó en cara la expulsión del colegio.

Amparo, yo escuchaba todo esto con lágrimas en los ojos, no sé por qué estúpida razón me parecía que todo lo que me decía era cierto, que en realidad esa era la verdad de mi persona, pero lo que más me dolía era que en vez de ayudarme, me lo estaba reprochando en ese tono tan molesto y agrio.

No tenía palabras con qué callarla, me sentía vacía, derrotada, ni siquiera tenía ánimos para discutir, para mandarla por un tubo, me estaba diciendo algo que seguramente yo pensaba muy en el fondo pero que no me había atrevido a decirme; era mi mamá, seguro que tenía razón; me reprochaba yo misma en esos momentos mi debilidad, mi imposibilidad de sobreponerme.

¿De dónde, Dios mío, podía sacar fuerzas otra vez, contra mi voluntad? Bajé la escalera triste, sola, confusa, con un amargo dolor y con grandes deseos de recurrir a ti. ¿Cuál es el verdadero fondo de todo esto? ¿Quién tiene la razón? ¿Es mi edad? ¿La falta de un novio? ¿Una lucha de formación? ¿Soledad? ¿Falta de comprensión? ¿O tan sólo una mala época?

Mi mamá me achaca mucho no haber aceptado entrar al certamen de La niña más bien vestida de México, que por primera vez se está llevando a cabo hace tres semanas. Los organizadores son Esteban, Luis del Valle, Martínez, Cristina Ruvalcaba y otros más, es decir, que forman parte del jurado de dicho evento.

En dos ocasiones me vinieron a proponer que participara, no soporté la idea y no acepté; por supuesto que no les caí mucho en gracia, mas no han desistido. El otro día me llamó Cristina, asegurándome casi que quedaría en las finalistas. No cedí, me pareció aún más ridículo, injusto y tonto. Me da hasta un poco de orgullo no entrar en la manada de borregas que van con sus mejores vestidos a posar para el periódico, son una bola de niñas vacías, hipócritas, intrigantes, falsas y tontas. No entiendo por qué mejor no invitaron a mis hermanas a participar, ellas se visten mil veces mejor que yo. Mi único mérito es heredar su ropa (la más viejita) y mandarme a coser vestidos con Otilia. La pobrecita ya tiene como cien años, pero sigue cosiendo.

Según mi mamá, con este rechazo nadie más me buscará. ¿Te das cuenta? Uno no puede actuar libremente, tienes que seguir al rebaño de estúpidos, no puedes tener tu personalidad, no puedes luchar por tu manera de pensar, no tienes derechos, tienes que ser como Vicente, hacer lo que hace la gente.

Créeme, Amparo, que mi fin no es aislarme de ninguna manera. ¡Me encanta la gente! ¡Quiero a mi prójimo! Platico con ellos, me río, reconozco que pertenecemos a «ese» mundo de esta generación, pero no veo por qué tengo que participar en sus ideas, las respeto hasta cierto punto, pero que también respeten las mías.

Saben que no tenemos dinero, que se habló mucho de nosotras, que mi mamá no cuenta con buenas voluntades, que no hay nadie que valga la pena.

No, Amparo, no me arrepiento de estar en esta actitud. ¿Por qué no lo comprenderá mi mamá? ¡Ella sí que no ha aprendido! ¡Parece increíble! Mi papá en cierta forma está conmigo, pero cuando oye hablar a mi mamá, es parcial y no me apoya en nada. ¿Tú qué opinas? ¿Hago mal?

Seguramente pensarás que lo que más falta me hace es un novio, de acuerdo. Pero mientras, con los que me rodean, ¿qué hago? ¿Los tiro a Lucas? ¿No me conviene?

Te complico mucho. Quizá hasta yo misma me estoy buscando falsos problemas, pero de nuevo, ¿qué es justamente lo que hace que me los busque? No te puedes imaginar, Amparo, lo bien que me ha hecho escribirte, no digo que veo las cosas más claras, pero sí estoy aún más convencida de lo escrito, de mis ideas, que cuando comencé la carta.

Me ha tranquilizado, como si me hubieran sacado una muela que me hubiera estado molestando hace mucho; sin embargo, creo que se quedó la raíz, que ya será el tiempo quien se encargará de arrancarla.

Por lo pronto, yo misma me digo que en la vida no hay que tomarse mucho en serio.

Te quiere y extraña,

SOFÍA

El sábado fui al cine Polanco con Deby. Gracias a Dios, esta vez no vino su nana con cara de fuchi. Vimos una película con clasificación para adolescentes que se estrenó el año pasado en Estados Unidos, que se llama *Blue Denim*. Es durísima: se trata de una chica (la actriz se llama Carol Lynley y es muy bonita) de diecisiete años que queda embarazada de su novio que adora; decide abortar y como consecuencia a la pobre le pasan muchas cosas. De repente, Deby se me acercó y me dio un beso. No fue un beso en el cachete, fue en la boca.

—¿Qué te pasa? ¡Estás loca! —le dije quedito, pero furiosa.

—Sshhh… deja ver la película.

En seguida, me dio otro beso.

—¡Deby!

—No te hagas, bien que te gusta.

—¡Estás loca! —le volví a decir, pero ya no estaba enojada. Era la primera vez que me daban un beso en la boca y ¡una niña!

Cuando llegué a la casa, lo primero que me dijo mi mamá fue:

—Te ves horrible con ese peinado. Cada vez te estás pareciendo más a tu nueva amiga.

Desde que empecé mi amistad con Deby, ya no veo tanto a Carmen. Me da la impresión de que ya no nos caemos bien. Tampoco le hablo tanto ya a mi tía Guillermina, con la que me gusta platicar horas, siempre y cuando mi mamá no esté ocupando el teléfono. Con ella hablo de cine y de las familias bien de México: me cuenta cuando las conoció sin un centavo, y todos los chismes de las señoras de *Los Trescientos y algunos más*. Es igualita a mi mamá pero distinta, ha de ser porque toda su vida ha sido señorita. A Lety, mi hermanita adorada, también la he descuidado. Pobrecita, porque sigue comiendo y engordando mucho. A mis hermanas grandes tampoco las veo tanto. Ya ni hablo por teléfono con Inés. Toño está muy ocupado con sus exámenes. Los fines de semana se la pasa en la Casa del Lago, ya sea para jugar ajedrez o para ir a unas conferencias de la Nueva Ola. Dice que hay un muchacho llamado Carlos Monsiváis que da unas conferencias buenísimas sobre cine mexicano. Emilia se ha hecho muy amiga de una vecina que también va al Colegio Francés; casi diario va a su casa a estudiar. Mi mamá sigue igual de gritona. Y mi papá, igual de silencioso.

La primera vez que me invitó Deby a dormir a su casa, me costó mucho trabajo convencer a mi papá. Mi familia no aprecia mucho a mi amiga. «Es una loca», me dice Toño. «Oye, ¿por qué se ríe con todo el cuerpo?», me pregunta mi hermana Inés. No saben dónde ubicarla. Yo le insistí e insistí, le dije que era mi mejor amiga, que iban a quedarse a dormir otras de mis compañeras, hasta que finalmente me dio permiso.

Esa noche, la mamá de Deby vino a despedirse de nosotras. «Voy a cenar al Quid», nos dijo. Se acercó para darnos un beso, su perfume a rosas olía delicioso, no como el que usa mi mamá, que huele a viejita. Llevaba guantes blancos y cadenas de oro con muchos dijes: un elefante con la trompa parada, el Calendario Azteca, la torre Eiffel, un centenario. *Cling, cling,* sonaban cuando nos arropó. Se veía guapísima, igualita a Elizabeth Taylor con su vestido negro escotado y su estola gris de *mink*.

Cuando nos quedamos solas, Deby me abrazó muy fuerte. Me pidió perdón por lo de la feria y lo del hotel Geneve. Me dijo que se sentía muy sola, que odiaba a María, su nana, porque siempre le levantaba falsos, que su hermana mayor era muy rara, que nunca veía a su papá, que su padrastro no la quería, que su mamá siempre se la pasaba fuera de casa, que su hermano mayor estaba en Estados Unidos en una escuela militar. Nos dormimos abrazadas y juramos que pasara lo que pasara, siempre estaríamos muy unidas. Y vaya que lo estuvimos, porque conforme pasaba el tiempo empecé a quedarme a dormir más noches en su casa. De los abrazos pasamos a los besos y nuestras caricias se volvieron más íntimas. «¿Quieres que te acaricie la espalda?», me preguntaba, pero sus manos terminaban acariciándome todo el busto. Lo que nunca le dije fue que cuando ella me besaba yo pensaba en el guapérrimo maestro del IFAL de mi mamá.

—¿Y qué sientes cuando tocas las partes íntimas de tu amiga? ¿Te gusta? ¿Te excita? —me preguntó el último padre con el que me confesé—. ¿Qué tan seguido lo hacen? ¿Lo has hecho con otras amigas? Y con muchachos, ¿también lo haces?

Me pareció de lo más morboso, el que se estaba excitando era él. Como penitencia me dejó tres rosarios, cien jaculatorias y hacer trabajos manuales.

—Deberías de bordar y coser más seguido.

—No sé coser ni bordar.

—¿Por qué no haces los quehaceres de la casa? Como barrer o trapear.

—Lo único que me gusta es escribir.

—Pues escribe, niña. Escribe muchas planas de cuaderno que digan: «No lo volveré a hacer, no lo volveré a hacer…».

Me he fijado que la culpa me atormenta mucho más que a Deby. Mientras que yo me siento una gran pecadora, una degenerada y una cochina, Deby no muestra el menor remordimiento. Para ella es de lo más normal. Ayer, por ejemplo, en lugar de estudiar inglés para nuestro examen del Queen Mary, nos pasamos toda la tarde acostadas, escuchando un disco de Olimpo Cárdenas.

—Mi mamá jamás escucharía a ese cantante. El que le gusta es Charles Trenet.

—Ya cállate, que no me dejas escuchar.

En seguida se puso a cantar: «No sé por qué, no sé por qué me enamoré de ti. Sin conocerte siquiera…».

Terminé por resignarme y por decirme que así como Carmen, mi amiga, tiene su secreto con su hermano, yo tengo uno con Deby.

5

Llueva, truene o relampaguee, todos los domingos voy a misa de una y media a la Votiva. A esa hora, y en esta iglesia, todo México se da cita. Lo más divertido es la salida. Las señoras, con sus mantillas negras o blancas sobre la cabeza, forman pequeños grupitos, se saludan de beso y se quedan horas hablando de los últimos chismes: «¿Te enteraste de que los familiares de John Kennedy convidaron a Carmen López Figueroa a pasar una temporada a California?», «¿Qué les parece que ya enviaron a Avecita López Mateos a un colegio en Suiza?», «Desde que la Callas está enamorada de Onassis, canta mucho mejor». Los maridos, con su *blazer* azul marino y su gazné alrededor del cuello: «Yo estoy de acuerdo con el príncipe Bernardo de Holanda, no hay nada más difícil que manejar a una mujer», «Desde que encontraron droga en la casa de la Bandida no he vuelto», «Qué bien hizo el rector, el doctor Chávez, en apagar el borlote de los estudiantes».

Por lo general voy a misa con mis hermanas y algunas veces nos acompaña mi papá; a esas horas mi mamá siempre se queda, con su bata azul, hablando por teléfono con Lola Zubieta. Nosotras atendemos la misa mientras a mi papá le bolean los zapatos en el Paseo de la Reforma y lee su periódico; según él, es laico pero eso sí, muy guadalupano. Qué bueno, porque yo le tengo una fe ciega a la Virgen de Guadalupe. «Virgencita, haz que venga a misa Rafael y que me invite a la tardeada del Jockey», le rezo cada ocho días, esperando que me haga el milagro. Miro constantemente hacia la puerta del templo para ver si ya llegó Rafael, el niño que últimamente me trae de cabeza. Hoy no voy a comulgar porque no me he confesado; además, desayuné tardísimo. Me tardé mucho en peinarme y eso que me lavé el pelo con mi *shampoo* Lustre-Creme. Para que me quedara el peinado con mucho cuerpo, me hice los tubos con cerveza. Ya soy experta: primero los gruesos, luego los medianos, siguen los más delgados, y cuando llego a la nuca los más chiquitos, todos en fila y muy ordenaditos. Termino como si trajera un casco para ir a la luna. Claro, al otro día amanezco con la cabeza haciéndome *bum, bum, bum*, sobre todo cuando me pongo pasadores sin gomita. Pero vale la pena, porque el peinado me dura hasta dos días.

Traigo puesta mi falda escocesa recién salidita de la tintorería, una blusa camisera blanca y el *blazer* que me prestó Aurora. Últimamente le pido mucha ropa prestada a mis hermanas mayores porque la mía ya está horrible. La que no me presta nada es Paulina, tiene todos sus suéteres de *cashmere* encerrados con llave. A veces logro abrir la puerta del ropero con un gancho, pero cada vez me es más difícil. Además creo que ya se dio cuenta, porque la última vez empezó a gritar como loquita: «Mi suéter verde huele a sudor, ¿quién se lo puso? ¡Es el colmo! En esta casa nadie respeta nada». También mis otras hermanas le toman sus cosas, ella es la que tiene la ropa más fina de toda la familia.

¡Híjole, ya lo vi! ¡Allí está Rafael! No lo puedo creer. ¡Sí, allí está, muy cerquita de la escultura de San José! Se ve monísimo con su saco azul marino cruzado de botones dorados, su corbata rayada azul y blanca muy delgadita. «Gracias, Virgencita, por escucharme. No te olvides de que hoy es el primer domingo de junio, haz que me invite a la tardeada del Jockey Club».

Seguro después de misa Rafael va a ir a comer, como todos los domingos, a casa de su abuela que adora. «Un día te voy a invitar para que la conozcas», me dijo. Dice que su casa es como un museo, que tiene muchas antigüedades, porcelanas, pinturas del siglo XVIII y hasta un Tiziano que hace muchos años compró su abuelo en Francia; según esto, fue un artista que pintó en la misma época que Miguel Ángel. Esa casa siempre sale retratada en la revista *Social,* en la sección «Residencias de México». Mi mamá conoce perfecto a toda su familia, a sus tíos, tías, cuñados, concuños, primos y primas. Con algunas de ellas fue al Colegio Francés de San Cosme.

—El papá de ese muchacho tiene un título de conde —me dijo con una enorme sonrisa. Creo que era la primera vez que mi mamá me sonreía en toda mi vida.

Desde que Rafael me habla, ya no me dice idiota, bruta e imbécil. Ha de pensar que si me caso con él, como es el mayor de los nietos, me convertiré en condesa. ¿Yo? ¿Condesa? ¡Brincos diera! Si así fuera, mandaría a hacer mi anillo con el escudo de su familia, recibiría todas las invitaciones a las bodas de las princesas europeas, vestiría en *boutiques* de París y organizaría muchos tés y cocteles en la casa de la abuela de Rafael, que vive en la calle de Versalles. No sé por qué mi mamá está obsesionada con la sociedad mexicana. Le impresionan mucho los apellidos dobles. Sinceramente, no veo que la inviten mucho a sus fiestas. La que más le impresiona es una señora que se llama Concepción Romero de Terreros de Ayguesparsse.

A mi papá las familias de abolengo lo tienen sin cuidado, dice que son «parásitos de la sociedad». Dirá misa, pero Rafael no es «parásito». Él es bohemio, estudia Arquitectura en la UNAM, le gusta pintar, ir a los museos del centro y leer libros sobre la Segunda Guerra Mundial. Creo que ya me vio. Me sonrió, como diciendo: «Aquí estoy y nos vemos al ratito». ¡Qué emoción! La verdad es que tiene unos dientes preciosos, todos parejitos y muy blancos. Híjole, si no comulgo me voy a quemar con él. Con que rece un acto de contrición, estoy segura de que Dios me perdonará todas las tonterías que hago con Deby.

—¿No quieres un chicharrón?

—No, gracias.

—Te vi comulgando con cara de muy bien portadita.

—Procuro comulgar todos los domingos. Y tú, ¿por qué no comulgas?

—Porque yo sí me porto mal.

—En cambio, yo tengo la conciencia tranquila.

—Tanto mejor. ¿Qué vas a hacer esta tarde?

—¿Yo? Nada. ¿Por qué?

—¿Quieres venir al Jockey?

No me costó mucho trabajo convencer a mis papás para que me dieran permiso de ir al Jockey. Al contrario, vi que les daba gusto, sobre todo a mi mamá.

—Para que no vayas sola, ¿por qué no le hablas a Carmen para que te acompañe —me dijo mi mamá.

Llamé a mi amiga y claro, aceptó de volada.

En el camino, mientras Rafael maneja su flamante Volkswagen color verde botella, nos explica a mí y a mi amiga Carmen lo que es un *derby*. Nos platica de los purasangre de Justino Fernández y nos cuenta que el domingo pasado le apostó a un caballo llamado *El Paisaje* porque en un ojo tiene una nube y en el otro una catarata.

—¡Qué chistoso eres! —le dice Carmen desde el asiento de atrás. Creo que a ella también le gusta Rafael. Es tan coqueta y está tan orgullosa de su busto que es capaz de bajármelo.

—¿Te acuerdas de la película *National Velvet*, con Elizabeth Taylor? Creo que en español se llama *Fuego de juventud* —le digo a Rafael para lucirme—. Yo la vi en el Vanguardias.

—Sí, sí la vi. Ella sale de *jockey*, ¿verdad?

—Para que no sacrifiquen a su caballo y poder participar en la carrera, Elizabeth Taylor se corta el pelo para parecer un niño.

—Yo también la vi en el Vanguardias —dice Carmen.

Juro por Dios que está contando mentiras, pero no la contradigo. Estoy a punto de preguntarle cómo se llama el actor que sale en la película. No lo hago, porque en el fondo le agradezco que haya venido como chaperona, a pesar de que le avisé tan tarde. Me encanta el perfil de Rafael, la manera en que cambia las velocidades y la forma como ve por el retrovisor. Le pregunto si no le importa poner el radio en la estación 620, «La música que llegó para quedarse». Lo prende, busca la frecuencia y escuchamos una de mis canciones preferidas, *Magic moments*, con Perry Como. Me siento en las nubes.

—¿Por qué no mejor le cambias a Radio Éxitos?

Quiero matar a mi amiga. Es una aguafiestas. Ella sabe perfectamente que de todas las estaciones de radio, mi predilecta es 620. Entonces, ¿para qué hace ese tipo de preguntas?

Estoy en el Jockey. No lo puedo creer. Bastó que a la entrada Rafael pronunciara su apellido para que nos abrieran las puertas, como seguramente se las abren a los condes europeos miembros de otros Jockey Club del mundo.

El vestíbulo es un corredor largo, rodeado de espejos que van del techo al suelo. En ellos se reflejan, hasta el infinito, los arbotantes de cristal. El salón de baile, iluminado por cuatro enormes candiles, tiene grandes ventanales que dan a la pista de caballos y a los palcos de los invitados especiales. Al fondo está la orquesta de Moisés Alatorre. Hay muchísima gente: parejas bailando *twist*, grupitos de niñas platicando y muchos jóvenes recargados en la barra, tomando sus cubas.

«¿Ya viste la película *La dolce vita?*», «No saben lo bonito que está el nuevo aeropuerto París-Orly», «Con John F. Kennedy le va a ir mejor a México», «¿Te invitó Pablo Rincón Gallardo a su fiesta?», «Ya me dijeron dónde conseguir marihuana muy barata», «¿Ya vieron a la hija de Alfredo del Mazo? ¡Aguanta un piano!», «No se lo digan a nadie pero ¿saben a quién le hace agua la canoa…?», «Me vendieron baratísimo un Jaguar blanco, recién salido de la agencia», «¿Qué les parece si después de la tardeada, los del grupo nos vamos a cenar a Normandie?».

Rafael saluda a todo el mundo, sobre todo a las niñas. Me ven raro. A veces me presenta y a veces no, porque pasan a nuestro lado muy rápido.

—Ella es Sofía —dice con una sonrisa.

Yo pongo cara de «mucho gusto» y de niña educada en el extranjero. Mi amiga Carmen camina entre la gente, luciendo su cuerpo escultural de Gina Lollobrigida. Se siente soñada.

—Ahorita vengo, voy al baño —le digo a Rafael.

Como no sé dónde está y me da pena preguntar porque se darían cuenta de que nunca he ido al Jockey, muy discretamente me asomo por todos los salones cubiertos con tapetes persas e iluminados por inmensos candiles. Todos tienen chimenea y grabados de caballos ingleses. Los sillones están forrados de terciopelo color guinda. Dice Rafael que la decoración es de Arturo Pani, hermano de un arquitecto muy famoso.

Finalmente descubro una puerta blanca donde aparece un abanico. Es el baño de las damas. Entro y me encuentro con niñas vestidas con trajes tejidos de rayas, muy cortos, de la diseñadora inglesa Mary Quant. Todas fuman y se ven reflejadas en los grandes espejos, peinadas con demasiado crepé; unas llevan vestidos de raso color pastel y zapatos de tacón muñeca forrados de la misma tela, como si fueran a un coctel, y pestañas postizas. Comentan el baile de gala del salón Belvedere del hotel Hilton, donde cantó Frank Sinatra. «María Félix se veía guapísima mientras bailaba con Juan Sánchez Navarro. ¿Te fijaste en las joyas que llevaba?», «¿No te encantó Lola Beltrán con su rebozo azul de seda?», «Mapita Cortés en persona es más guapa que en la tele. Su marido, Lucho Gatica, se ve que está muy enamorado de ella», «Estaba todo México. Nada más faltó la primera dama. Dicen que se tuvo que ir a Chicago por viaje intempestivo. También estaba en la mesa de honor Cantinflas, acompañado de Carmen Villegas de O'Farril».

Mientras me lavo las manos con mucho jabón y agua calientita, hago como que no las escucho. Me pregunto por qué no invitaron a mis hermanas a esa fiesta donde estaba «todo México». ¿Porque no tenemos dinero? ¿Porque mi papá no es banquero? ¿O porque le tienen pavor a mi mamá? Me enjuago las manos y una señorita me tiende una toalllita.

—Quihubo, ¿cómo estás? —me saluda alguien por la espalda.

Es Adriana Luna Parra, la niña con la que tomaba el camión para ir al Colegio Francés del Pedregal.

—Hola, no te reconocí.

—¿Qué haces aquí? ¿Con quién viniste? —me pregunta.

—Vine con Rafael.

—¿Con qué Rafael?

—Adivina.

—¿Con Rafa? ¿El mejor partido de México?

—Ajá...

—No te lo recomiendo, es muy noviero. Oye, ¿que te metiste al Queen Mary? —me pregunta con cara de fuchi.

—Sí, pero muy pronto me voy a Canadá.

—¡Qué padre! Hay que vernos antes, ¿no?

—Sí, nos buscamos —le digo a pesar de que las dos sabemos que nunca nos buscaremos. Lo decimos por no dejar.

Me dirijo hacia la pista y me encuentro a Rafael platicando con una niña morena, muy bustona, con bozo arriba de los labios pintados de blanco y cejijunta.

—Ay, Rafa, qué buenas puntadas tienes —le dice muy sonriente con sus dientes cubiertos de frenos.

—Es la hija de un político —me dice Rafael al oído. Cuando su mejilla roza la mía, siento mariposas en el estómago. Huele rico, qué bueno que no usa Old Spice, porque esa loción me marea.

Al fondo, la orquesta empieza a tocar *Al di là*, mi canción favorita.

—¿Quieres bailar? —pregunta Rafael.

—*Okey* —le digo sintiéndome la muy muy.

Mientras caminamos hacia la pista tomados de la mano, siento mi corazón latir tan fuerte que creo que se me va salir y botar contra los grandes ventanales. En mi cabeza canto:

Al di là del bene più prezioso, ci sei tu.
Al di là del sogno più ambizioso, ci sei tu...

No lo puedo creer, estamos bailando... ¡de *ca-che-ti-to*! Todo es tan natural, tan bonito y tan... tan romántico. Siento que estamos solos en la pista. No quiero que se acabe la canción. Quiero que Rafael me pida, en este momento, que sea su novia. Quiero que todos mis fantasmas desaparezcan para siempre. Quiero ser condesa e irme a Roma con Rafael. Ya no quiero vivir en mi casa. Ya no quiero oír gritos ni insultos ni quejas porque no hay dinero.

Al di là dei limiti del mondo, ci sei tu. Al di là...
Al di là della vita ci sei tu, al di là, ci sei tu, per me!

Rafael y yo seguimos bailando. Al bailar así, apretaditos, nuestros cuerpos se acoplan de maravilla. ¿Querrá decir que nacimos el uno para el otro? Le quiero decir al oído tantas cosas, pero no me atrevo. Pensará que soy una aventada, que estoy muerta por él y que voy demasiado rápido.

La la la la... La la la... Al di làaaaaa...

Se acaba la canción italiana. ¡Qué cortita! Poco a poquito, nos separamos. Estamos parados en medio de la pista. Nos sonreímos. Me mira y no sé qué hacer. Si pudiera darle un beso. ¿Enfrente de todo el mundo? ¡Imposible! Sería la comidilla de todos. Miro alrededor como pidiendo disculpas por estar allí y por haber bailado de cachetito. Siento que todos me miran y me lo reprochan: «¿Cómo te atreviste si no eres su novia?». Me siento insegura, me da pavor que Rafael me diga que nos vayamos a sentar. Gracias a Dios, la orquesta empieza una canción con un ritmo distinto. Es una tropical y se llama *Capullito de alelí*.

Con esta canción bailamos separados. Muevo mi cuerpo con torpeza; no sé bailar tropical, menos vestida de *blazer* y falda gris plisada. La que es experta en esta música es mi hermana Amparo, un día la caché bailando el *Mambo número 5* frente al espejo de su recámara. Cuando se dio cuenta de que la espiaba, me hizo jurarle por todos los santos del cielo que no la acusaría con mi mamá.

—Ella no entiende estas cosas, le dan miedo —me dijo.

—Pero si bailas requetebién.

—Pues sí, pero ya ves cómo es. Para ella nada más existe Francia.

—¿Un día me enseñas a bailar mambo?

—Sí, pero a escondidas.

Amparo hacía muchas cosas a escondidas. A escondidas, cuando salía, se quitaba los aretes de perlas y se ponía sus arracadas. A escondidas se iba sola a la cafetería María Bárbara, de Río Tíber y se sentaba en la barra. A escondidas leía *Risotadas* y la revista *Ja-já*. A escondidas conoció al papá de Lety, y a escondidas tuvo con él una verdadera historia de amor. J. A., como ella lo llamaba secretamente, tenía un programa de música romántica por las mañanas; bastaba con llamar por teléfono a Radio Mil, a la emisión de J. A., para solicitar una canción. Amparo siempre pedía las de Los Panchos, Javier Solís y Pedro Infante.

«Para Amparito, con mucho gusto, *Sin ti*», decía J. A. al micrófono, con una voz aterciopelada como la de Arturo de Córdova. Amparo hablaba diario y J. A. la complacía todos los días, hasta que se conocieron personalmente y se enamoraron. Cómo me gustaría decirle toda la verdad a Lety. Decirle que vino al mundo gracias al amor y a las canciones de Los Panchos.

Mi hermana, después de todo, nunca me enseñó a bailar. En cambio, «la hija del político» se mueve increíble. Como sabe que Rafael la mira de reojo, mueve las caderas y los brazos con muchas esclavas gruesas de oro, su cuerpo gira perfecto al son de la música. Baila como las rumberas de las películas mexicanas; seguramente aprendió a bailar así con sus tíos y sus primos mayores. Su familia ha de ser de la costa de Guerrero y su papá político ha de haber empezado desde abajo. El que está encantado con ella es su pareja, tiene toda la cara sudada y con sus dos manotas bien prietas la sostiene de la cintura. Él también ha de ser hijo de un diputado o de un jefe de policía.

> *Por eso yo te canto a ti, lindo capullo de alelí,*
> *dame tu aroma seductor y un poquito de tu amor*
> *porque tú sabes que sin ti la vida es nada para mí,*
> *tú bien lo sabes, capullito de alelí.*

Entre más observo a «la hija del político» para imitar la forma correcta de bailar esta canción, más me equivoco. Me tropiezo y me hago bolas con los pasos. Sin darme cuenta bailo *twist* o *rock and roll*. Rafael también está un poco tieso. No está acostumbrado a este tipo de música. ¡Es un conde!

Después de bailar *Capullito de alelí*, Rafael y yo nos vamos a sentar. Los dos estamos medio agitados, pero felices. En la mesa se encuentran Adriana Luna Parra, Freddy Félix Díaz y Pablo Rincón Gallardo. Saludan a Rafael con entusiasmo.

—¡Qué *chingüengüenchona*! Conque muy *cheek to cheek*, ¿eh? —me dice Adriana—. ¡Imagínate si te hubiera visto *Madame* Pirulí!

—¡Me vuelve a correr! —reímos—. ¿Tú con quién viniste?

—Yo vine con Pablo y saliendo de aquí nos vamos, todos los del grupo, a cenar al Normandie, allí se come el mejor *coq au vin* del mundo. ¿No te avisaron?

—Claro que sí. Lo que pasa es que no puedo llegar muy tarde a mi casa.

—*Don't worry.* Nosotros te llevamos, al fin que vivimos a una cuadra de distancia. Háblale por teléfono a tu papá y dile que estás con una de las Luna Parra, seguro te da permiso. Él conoce perfecto a mi papá porque trabajaron en el mismo bufete.

¿Hablar por teléfono a la casa y justo a estas horas? ¡Imposible! Es cuando más habla mi mamá. Además, fuera de Adriana, nadie me ha avisado todavía de la cena. Estoy a punto de decirle que de verdad no puedo, Rafael nos interrumpe.

—Ven, vamos a bailar este pasodoble.

—Ahorita vengo, Adriana.

Me levanto como de rayo y regresamos a una pista llena de parejas.

—Ahora sí, sujétate bien porque vamos a dar muchas vueltas —dice Rafael.

Y vaya que me dejo sujetar. Me jala contra su cuerpo y damos unos pasitos *pa* atrás y otros *pa* delante. Mi mano izquierda agarra fuertemente la suya. Me hace dar vueltas a su alrededor; nuestros cuerpos se unen para repetir los mismos pasos de antes. Me lleva y le sigo perfecto el paso.

Siento castañuelas en el corazón. Tengo ganas de llorar y de gritar: «¡Aquí estoy y no soy invisible!». No lo hago pero en ese instante, como si Rafael hubiera escuchado mi pensamiento, exclama a mi oído: «¡Olé!».

Me muero de la risa y doy otra vuelta. Parezco trompo: no me importa. No sé ni qué horas son ni qué día es de la semana. En mi interior, escucho una vocecita que me dice: «No seas tonta, toma el toro por los cuernos y aviéntate al ruedo». Y el pasodoble se termina. Moisés Alatorre, director de la orquesta, agradece y anuncia un pequeño receso. Pero mi corazón no termina de latir su propio pasodoble.

—¿No estás muy cansada?

—Por mí, podría bailar otros tres pasodobles.

—También yo. Lo malo es que ya es muy tarde.

Nos despedimos de todo el mundo. A lo lejos veo en el espejo del vestíbulo la pareja que Rafael y yo formamos y me gusta. A esas horas y después de tantos bailes, parecemos novios. Caminamos tomados de la mano y con cara de satisfacción. Siento que todos nos miran y nos tienen envidia.

Estamos Rafael y yo en el coche, en el estacionamiento del Jockey Club. Solos, porque por más que la busqué, no encontré a Carmen por ningún lado. La noche se ve tan oscura.

—¿Hasta qué horas te dieron permiso?

—No se me ocurrió preguntar la hora.

—Entonces nos podemos quedar un ratito aquí en el coche.

—Si quieres.

—¿Prendo el radio?

—Si quieres.

—¿Te puedo dar un beso?

—Si quieres.

Rafael me da un beso en la boca. ¡Qué bonito siento! Quiero otro y otro... Los dos estamos nerviosos, pero sobre todo excitados. En el radio tocan música de Ray Conniff. Seguimos besándonos, escucho su respiración agitada. Lo que menos quiero es perder la cabeza, pero a la vez es lo que más quiero... aunque sea un poquito. ¿Qué más da? Al fin que luego me confieso.

Lo abrazo y le digo muy quedito que no me quiero ir a Canadá.

—Te va a hacer mucho bien. A lo mejor te voy a visitar.

—¿De veras?

En la radio sigue la música de Ray Conniff. Estamos en pleno *clinch* cuando veo una sombra frente al parabrisas empañado del Volkswagen.

—Creo que allí hay alguien.

—Ha de ser el señor que cuida el estacionamiento.

Toc, toc. Escuchamos unos golpecitos contra la ventana de la portezuela del lado del volante. Rafael baja la ventana.

—Soy yo, Carmen. ¿A poco me iban a dejar?

La quiero matar. ¡Qué inoportuna! ¡Qué metiche!

—¿Cómo crees? Si te estuve buscando por todas partes y no te encontré. ¿Dónde te metiste?

—Estaba en el bar, platicando con Patricia Pani. ¿No me abren, por favor? Me muero de frío y además es tardísimo.

De regreso ninguno de los tres hablamos. Yo me siento feliz, pero a la vez fatal. Estoy preocupadísima. Ahora sí ya me quemé. Carmen se lo va a contar a todo el mundo. ¿Qué va a pensar Rafael de mí? ¿Que soy la típica loca, la típica niña fácil? Ya no me va a volver a hablar.

—*Bye...* —dice Carmen al bajar del coche.

Le abre la puerta de su casa su nana de largas trenzas y cara de dormida.

—Gracias por acompañarnos —le dice Rafael.

Dos minutos después llegamos a mi casa. Estoy a punto de tocar, cuando aparece mi papá con su bata escocesa.

—¿Qué horas son estas de llegar?

Está furioso y se ve muy pálido. A lo lejos escucho la voz de mi mamá, que dice por teléfono:

—Bendito sea Dios, ya llegó, luego te llamo.

—Perdón, señor. Se nos hizo un poco tarde.

—Ay, papá, pero si todavía no son las doce —le digo como si fuera Cenicienta.

6

Estoy en mi cama. No sé qué pensar. Todavía me siento muy excitada. Es otro tipo de excitación que la que siento con Deby. No tiene nada que ver y, aunque también siento culpa, esta me gusta más. Híjole, a lo mejor fue más que un beso en la boca y no me di cuenta. ¿Se me habrá abierto la falda en esos momentos? Si fue así, ¿me metió la mano sin darme cuenta? Ahora sí ya me quemé. ¿Qué pensará Rafael de mí? ¿Me volverá a invitar a salir? ¿Será verdad que es muy *noviero*, como me dijo Adriana? Después de dejarme, ¿se habrá ido a cenar al Normandie? ¿Por qué no me invitó?, ¿porque no soy del grupo? Ni modo de preguntarle. Sería exponerme. ¿Qué me diría? «Sí fui, y no te invité porque no eres del grupo». No puedo dormir por las dudas y miedos. Siento que de nuevo me abruman mis fantasmas.

Al otro día, muy tempranito, le hablo por teléfono a mi hermana.

—Bueno. ¿Inés? Necesito hablar contigo. Me urge. Me siento pésima.

—¿Qué pasó?

—Te lo tengo que contar personalmente. Te lo juro por Dios que es muy grave.

—¿Cómo? ¿Qué pasó?

—No te lo puedo contar por teléfono.

—Ay, Dios, ¿pero qué te pasó?

—Me quemé horrible con Rafael. Ya no me va a volver a hablar.

—No llores y dime qué pasó.

—Mejor voy a tu casa.

—Entonces, ¿ya pasó?

—Sí, ya pasó…

—Ay, pobres de mis papás. Bueno, ya vente. No te tardes.

—No. Ya voy para allá.

Por haber llorado tanto, desperté con los ojos chiquitos, chiquitos y los labios hinchados de siempre.

—Que no te vaya a ver así Rafael, porque se va a decepcionar —dice mi mamá—. Te ves horrible.

—Es que me va a dar gripa. Ahorita vengo, voy a ver a Inés a su casa.

Estoy sentada en el camión Juárez-Loreto. Me siento de la patada. Veo, a través de la ventana y de mis lágrimas, los dos venados de la entrada de la avenida Horacio. Pasamos por los jugos Colima, por muchas residencias con frontón, por la esquina de la casa de la seño Sofía, mi maestra de tercero de primaria del Colegio Francés. Antes de llegar a San Agustín me bajo del camión, no me doy cuenta de que todavía sigue andando.

—Ay, Sofía, mira cómo tienes las medias rasgadas y las rodillas todas ensangrentadas.

—Es que me caí.

—Ven, vamos al baño. Quítate las medias. Te voy a poner mercurio cromo.

—Déjame contarte, Inés, lo que pasó anoche en el estacionamiento del Jockey.

—Ni me cuentes. Ya me imagino.

—Te lo juro por Dios que yo no quería. Rafael insistió.

—Ajá... ¿Te arde mucho?

—No. Estábamos en el coche...

—¿Ya se enteró mi mamá?

—¿Cómo crees?

—¿Entonces?

—Se me acercó. Bueno, los dos nos acercamos, y me dio un beso muy largo en la boca.

—¿Y luego?

—Y luego, ¿qué?

—¿Qué pasó después?

—¿Después de qué?

—¡Del beso, idiota!

—No pasó nada. Nada más me dio un beso en la boca, bueno... varios. Eso fue todo.

—Qué estúpida eres, Sofía. Yo pensé que te había pasado algo muy grave.

—Para mí sí fue muy grave, porque ya me quemé con él y no me va a volver a llamar.

—Ay, Sofía. Pensé que te había pasado lo de Amparo.

—Así me siento, como si me hubiera pasado lo de Amparo.

—Pero no te pasó, ¿verdad?

—No, Inés, te lo juro por Dios que no pasó nada. Nada más fue un beso... bueno, varios... ¿Tú crees que me va a volver a hablar?

—Estoy segura. Pero, por favor, deja de llorar.

—¿Y si no me vuelve a hablar?

—¿Cuándo te vas con Paulina a Canadá?

—En tres semanas.

—Te va a hacer mucho bien. Tienes que salir de Nazas.

Dos días después me corté el pelo en un pequeño salón de la Zona Rosa. Nunca lo hubiera hecho, quedé horrible. Para colmo Lilia, como se llama la que me lo cortó, me dejó un flequillo y me depiló las cejas. Estaba orgullosísima de su peinado. «¡Estás igualita a Sonia López!», exclamó cuando terminó de ponerme el *spray net*.

Confieso, y jamás lo haré públicamente y menos lo admitiré frente a mi familia, que a mí también me gusta cómo canta Sonia López, sobre todo la canción de *El ladrón*. Hacía apenas unos días que la había visto en el programa de Paco Malgesto. Me gustó tanto la canción que hasta me la aprendí de memoria: «¿Y qué es lo que pasó? Que se desmayó… Ven, ven, ven, ladronzuelo, ven. Ay, pero ven y ven y ven, a robarme a mí…». Pero lo que menos deseaba era parecerme a ella. De cambiarme de físico, me gustaría parecerme a Audrey Hepburn, a Claudia Cardinale, a Natalie Wood, o de *perdis* a Sarita Montiel. ¿Pero a Sonia López?

Camino por las calles de la Zona Rosa, totalmente deprimida. Veo de reojo mi peinado, reflejado en algunas vitrinas, y no me reconozco. A lo lejos descubro, muy cerca del café Duca D'Este, a Esteban y a Joaquín Piña. Aunque hace un sol maravilloso, los dos llevan puesta su gabardina. Para no encontrármelos me meto de volada a la *boutique* de las velas que está en la esquina de Hamburgo.

Como no me quiero encontrar a ningún conocido, camino por Florencia, paso por Aries, la *boutique* más bonita de México. Atravieso Reforma y me voy por Tíber hasta llegar a Pánuco. Entro a la panadería Elizondo, me compro un garibaldi y camino por Río Sena hasta Nazas. Llego a la casa y mi mamá me pone pinta y barrida: «¿Estás loca? ¿Pero qué te hicieron? Mira nada más cómo te dejaron. ¡Te ves horrible! ¿Y así quieres llegar a Montreal? ¡Estás perdida! ¡Pero qué manera de acorrientarte!, ¿dónde tienes la cabeza? Antonio, dile algo a esta estúpida, que hace todo para perjudicarse. ¡Qué diferencia con tus hermanas! Ellas sí parecen francesas. En cambio tú pareces de Cocula. Yo no sé a quién saliste».

La escucho con los ojos cerrados. Por más que quiero desaparecer, estoy allí frente a mis papás y a Lety. Todavía tiene puesto su uniforme del kínder Alitas. Si yo no se lo quito, no se lo quita nadie, y así se puede quedar hasta la noche. Me mira como diciendo: «A mí sí me gusta». Mi papá lee su revista *Time*. De vez en cuando me ve y mueve la cabeza de un lado a otro.

—Te habló por teléfono Rafael. Dijo que te llamaría por la noche —comenta casi en murmullos.

Me da tanto gusto el recado que creo que me voy a desmayar.

—Ay, Dios, cuando te vea así, lo vas a decepcionar —dice mi mamá—. ¡Ponte una mascada! Dile que te dormiste en el salón y que cuando despertaste ya te habían rapado.

Subo a mi recámara. ¡Qué desorden, todas las camas deshechas! Cuando no hay muchacha, yo soy la que las hago. Cada vez las criadas duran menos en la casa. Mi mamá las asusta con sus gritos y además no les paga muy bien. Ya le he dicho que ahora una muchacha gana cuatrocientos pesos mensuales y hasta más. Mi mamá les quiere pagar doscientos cincuenta. Con ese sueldo nunca vamos a encontrar una, a pesar de los cartones que pongo en la puerta: «Se busca muchacha con recomendaciones». Y mientras llega alguien, la que paga los platos rotos soy yo. Mis hermanas salen muy temprano a trabajar, Emilia se va tempranísimo al colegio y Toño a la universidad. Hoy no pude hacerlas porque saliendo del Queen Mary me fui a comer a casa de Carmen y después al salón. No sé si tenderlas o no. Como dice Esteban, el mejor amigo de mi hermano, no hay que ser demasiado buena gente. Un día me invitó a cenar al Kineret porque tenía que hablar muy seriamente conmigo: yo estaba de lo más intrigada. Durante la cena estuvo monísimo, haciendo bromas y platicándome sobre la música de Bach. Cuando llegó el momento del postre, pedí un pastel que se llama Príncipe de Gales y él pidió unas crepas.

—Oye, Sofía, ¿te puedo decir algo muy personal?

Me puse nerviosa, lo miré de una forma muy coqueta y le contesté que por supuesto, que me podía decir lo que quisiera.

—No permitas que tu mamá te trate como te trata. Ya tienes dieciséis años, tienes que ser un poquito más independiente. Yo quiero mucho a la familia Garay, a tus papás y a tus hermanas, y claro, a Antonio, pero no puedo evitar ver la tremenda competencia y envidia que hay, sobre todo entre las hermanas.

¡Híjole, lo que menos me esperaba es que me dijera eso! Se me llenaron los ojos de lágrimas. No sabía qué contestarle.

—¿Por qué me dices eso? —le pregunté.

—Porque me importas y me caes bien.

—Tú también me importas. De todos los amigos de mi hermano, eres el que me cae mejor.

—Y de todos tus hermanos, incluido Antonio, tú eres la que mejor me caes.

Confieso que lo que me dijo Esteban en la cena me decepcionó un poquito; creía que se me iba a declarar. Claro que hubiera sido absurdo, porque sabe que en unos días me voy a Canadá. De todas maneras, me gustó que se preocupara por mí. «Tú, Esteban, no tienes armas para la vida. Tu única solución es casarte con una niña con dote», le dice mi mamá todo el tiempo. Para mí, él tiene dos armas poderosísimas: su físico (es guapísimo) y su *charm*. Tiene, además de mucho sentido del humor, un encanto muy especial. Es muy educado y, ahora lo descubro, muy humano. Aquí entre nos, no pierdo las esperanzas. Creo que tendría más *chance* con Esteban que con Rafael, porque él ya conoce todos los problemas de la casa, sabe lo de Lety y que no tenemos dinero, etcétera. En cambio Rafael no sabe nada de los problemas de la casa.

Salimos del Kineret, muy tranquilos y satisfechos por el sándwich de pan negro con pastrami que comimos. De regreso platicamos acerca de las últimas noticias de la muerte de Marilyn Monroe.

—Parece que antes de morir la llamó José Bolaños, un escritor mexicano que la acompañaba a muchos lugares en Hollywood. Por eso los periódicos dicen que «Marilyn se mató por el amor de un mexicano». ¿Te das cuenta de que se tomó cuarenta comprimidos de nembutal?

—¿Entonces sí se suicidó? ¿No la mataron?

—Dicen que se suicidó, pero yo pienso que la mataron. Estaba demasiado involucrada con los Kennedy.

Esa noche no pude dormir pensando en Marilyn Monroe. En el consultorio del dentista, el doctor Velasco Zimbrón, a quien por cierto mi mamá le debe quién sabe cuánto dinero, yo había leído en la revista *Siempre!* la vida de Marilyn desde que era niña. Lo que más me impresionó fue que a los nueve años fue violada por un loco, internado en el mismo hospital para enfermos mentales donde estaba su mamá. A partir de allí, vivió en muchos asilos hasta que se fue a vivir, de adolescente, con una solterona que se compadeció de ella. «Qué bueno que yo no soy una *sex symbol*», pensé, para después acordarme de lo que me había dicho Esteban, que era demasiado buena gente. En realidad no creo serlo, lo que pasa es que con mi mamá no funcionaría para nada ser rebelde. Así le fue a la pobre de mi hermana Amparo, y así les va a mis otras hermanas. No hay día en que no las regañe porque se pintan demasiado los ojos, en que no les reproche todos los sacrificios que ha hecho por ellas y que no les diga que sus respectivos novios son unos buenos para nada, aunque sean de muy buena familia. ¿Qué ganaría con rebelarme? Me iría mucho peor. Por eso Emilia ni abre la boca, nada más estudia. Mi mamá con mi hermana es muy distinta. Y con Antonio más: aunque también lo muele mucho, lo trata mucho mejor que a nosotras porque es el hombre de la casa.

Estoy en Relaciones Exteriores, en la avenida Juárez. Vine a recoger mi pasaporte. Paso las hojas y leo que es el número 51655. De pronto me topo con mi fotografía. ¡No es cierto! La que aparece en esa foto no soy yo, es... ¡Sonia López! Juro que no le enseñaré mi pasaporte a nadie. Además, mi firma me salió espantosa. En vez de poner mi nombre completo, nada más firmé con mi inicial y mi apellido: «S. Garay».

¿Por qué? No lo sé.

7

Montreal, 17 de septiembre de 1962

Querido Rafael:

Qué detalle de haber ido al aeropuerto a despedirme. No te puedes imaginar cómo te lo aprecié, sobre todo porque era sábado por la tarde y por la noche sé que tenías la fiesta (fiestezota) en casa de Esteban. ¿Qué tal estuvo? Espero que mi mamá no te haya abrumado mucho con su plática, preguntándote por toda tu familia desde el siglo XV. (Ja-ja-ja). Déjame decirte que le caes muy bien, y créeme que para caerle bien a doña Inés se requiere de muchos... títulos. A quien también le caes muy bien es a mi hermana Inés, le he platicado mucho de ti. Dice que ustedes son de tan buena familia que nadie los conoce en México. (Otra vez, ja-ja-ja.)

El aeropuerto de Montreal está precioso, se llama Dorval y queda muy cerca de la ciudad. Cuando le mostré mi pasaporte al de Inmigración, me dijo al ver mi foto: «How cute!». *La verdad es que sí salí muy mona en la fotografía. Desgraciadamente mi hermana no pudo ir por mí, porque estaba trabajando. Tomé un taxi y en el mejor inglés que pude le dije al chofer la dirección: Avenue Mcgregor 1690. El señor o era sordo o no me entendía: me hizo repetir el nombre de la avenida tres veces. Lo que sucede es que hay una calle que se llama igual. Le expliqué que era cerca de la Universidad McGill.*

Finalmente llegué a mi destino. Paulina había dejado la llave del departamento con el janitor *(portero en inglés). Aunque pequeñito, el departamento es muy acogedor. Cuando entré, un sol brillante entraba por la ventana de la recámara cuya cama por cierto no estaba hecha, sobre el cojín había un papelito con los números de teléfono y la dirección de la oficina de la ICAO donde trabaja mi hermana: 1080 University Street, escribió con la típica letra picadita de alumna de colegio de monjas. La ICAO o, en español, OACI, es una Organización de las Naciones Unidas que sirve para estudiar los problemas de la aviación civil internacional. Allí estuvo trabajando mi papá durante muchos años, como diplomático y representante de México.*

En la mesita de noche vi un radio portátil blanco, lo prendí y justo estaba cantando Bobby Vinton: Roses are red. *¿Te acuerdas que la bailamos en el Polo? Me acordé de ti y me puse triste. Qué bueno que antes de mi viaje pudimos hablar largo y tendido de lo que* pasó en el estacionamiento del Jockey. Lo que menos quiero es que me malinterpretes. Has de pensar que soy mojigata. Para nada. Lo que pasa es que mi máxima ilusión es llegar virgen al matrimonio. ¿Qué hubiera pasado si no hubiera aparecido Carmen en esos momentos? ¿Me entiendes? Pero eso sí, una cosa me queda clara, nunca me había gustado (atraído) tanto un niño como tú. Espero que sea recíproco... Mañana voy a mi nuevo colegio, Saint Paul's Academy. Estoy nerviosísima porque hablo inglés como Speedy González. Ya te contaré. Lo poco que he visto de Montreal me ha gustado muchísimo. Es una ciudad que parece recién salida de la tintorería, así se ve de limpia y planchadita. Espero que de verdad vengas a visitarme como me prometiste al despedirnos. Seré tu guía física y espiritual... Conste, ¿eh?

Salúdame a tu primo Luis y a tu hermano, que me cae tan bien.

Por favor no dejes de contestarme.

Piensa en ti,

SOFÍA

Para impresionar a los papás de Rafael, cubrí el sobre con timbres con la efigie de la reina de Inglaterra donde aparece joven y muy guapa. Lo que no quise contar en mi carta fue la verdad de mi llegada a Montreal. Cuando llegué a la oficina de mi hermana, me saludó como si nada cuando hacía por lo menos seis meses que no nos veíamos. Me presentó a sus compañeras con mucha indiferencia, nada más les dijo: «*She's my sister. She's going to live with me!*». Ni siquiera pronunció mi nombre. Al salir del edificio donde trabaja, me dijo: «¿Por qué te cortaste el pelo? No te queda». Después fuimos a comer a un restaurante italiano y se pasó toda la comida diciéndome que yo no sabía comer el espagueti; según ella, lo como con los dientes de enfrente y no sé enredar la pasta en el tenedor con la ayuda de una cuchara sopera. Dice mi papá que el problema con Paulina es que se cree de mejor familia que todas nosotras. Lo peor es que ella no entiende por qué se ríe mi papá cada vez que lo dice...

Yo quería cambiarle la conversación y platicarle de México. Quería contarle de mis hermanas y de lo grande que ya está Lety. Pero nada más me decía: «Por favor, no quiero que me hables de problemas ni de chismes, mucho menos de Leticia, a quien, por favor, no incluyas como hermana. Y recuerda que tú estás aquí por imposición de mi mamá». Y entre más comía espaguetis, más se me formaba una bola en la garganta. Para desviar aún más la conversación, le pedí a Paulina un *nickel* para poner una canción en la rocola. Elegí la de *That's amore* de Dean Martin, que me encanta. Mientras la escuchábamos en silencio, intuí que mi estancia en Montreal no sería muy agradable que digamos.

Mi hermana y yo somos muy diferentes. Como diría mi mamá, ella es muy pretenciosa y tiene un carácter muy difícil. «Tu carácter es tu dote o es tu azote», solía decir mi mamá grande. Me daría pavor convertirme en el azote de Paulina. Siento que no le caigo bien y que mi presencia la pone nerviosa. Le irrita mi acento en inglés: para ella, si no hablas bien inglés, estás totalmente *out*. Esto me pone tan nerviosa que siempre me equivoco.

Otra de las cosas que le molestan a mi hermana, que es rubia y de ojos azules, es mi tipo físico, especialmente con este peinado. El otro día íbamos caminando por Sherbrooke, una de las calles más bonitas de Montreal, y de plano me dijo: «Cámbiate de banqueta, porque tienes un tipo demasiado latinoamericano».

Sentí horrible. De por sí me siento menos que mis hermanas, así que no puedo ni rebelarme. Y ella, ¿de dónde cree que es?, ¿de Europa? Lo peor de todo fue que me cambié de banqueta y seguí mi camino sintiéndome la doble de Sonia López.

Hablando de Latinoamérica, la que sí tiene tipo muy, pero muy latinoamericano es Mercedes Guillén, mi nueva amiga cubana. Vamos juntas en la clase de Saint Paul's. Es muy simpática, platicadora y revolucionaria. Vive enfrente del colegio, en una casa de madera de tres pisos. Siempre hay mucha gente que entra y sale. Las paredes de la recámara de Mercedes están cubiertas de fotos de Fidel Castro y del Che Guevara. Odia Estados Unidos.

—Oye, chica, ¿qué no entiendes que estamos en

plena Guerra Fría y que puede estallar una guerra nuclear? —me preguntó el otro día.

Como no quería demostrarle que no entendía nada de lo que me hablaba, me limité a exclamar: «*Oh, my God!*».

Creo que no le gustó, porque me miró muy feo y me dijo:

—A ti, chica, ¡te patina el coco!

Lo dijo con un acento tan cubano que hasta me cayó en gracia. Lo que no acabo de entender es por qué vive en Montreal, en un barrio muy bonito, por qué va a un colegio de monjas y qué es exactamente lo que hace su papá revolucionario. Nunca menciona a su mamá. A lo mejor ella se fue a vivir a Miami y por eso ya no la quiere.

Mercedes es muy alta, medio gordita y usa anteojos con armazón cubierta de brillantitos. Es cachetona y tiene mucho acné. Se viste con muchas crinolinas y con telas muy floreadas, y se peina con demasiado crepé. No parece de dieciséis años, se ve mucho mayor.

Cuando mi amiga se enoja, se inclina para dar palmadas en el suelo y habla muy rápido, parece changuito. El otro día que fui a comer a su casa sirvieron un platillo que se llama «moros con cristianos», de arroz y frijoles negros. Como postre me dieron plátano macho con crema. Dice Mercedes que se los traen a su papá directamente de La Habana.

Aparte de Mercedes, tengo otra amiga que se llama Patricia de Wilden. Es muy bonita, le da un aire a Natalie Wood, y es buenísima para el latín. Dice los verbos de corridito y es una de las consentidas de *mother* Saint Maureen. Habla muy bien francés, sin el acento canadiense, que es horrible, y vive en Westmount, uno de los mejores barrios de Montreal, muy cerca de casa de los Idelson, amigos de mis papás desde hace muchos años. Patricia vive con su mamá en un *penthouse* muy padre, todo rodeado de grandes ventanales que dan a un parque. La vista es increíble, sobre todo en esta época del año: las hojas de arce, símbolo de Canadá, tienen un color entre dorado y rojizo. En la sala, con muebles todos blancos, hay muchas fotografías de su mamá, muy guapa y joven, abrazada de Bob Hope y del cómico Danny Kaye.

Me contó que sus papás se habían divorciado porque su mamá *flirts a lot,* es decir, que es muy coqueta. Su papá trabaja en una agencia de publicidad muy famosa en Canadá. La tarde que fui a su casa saliendo del colegio, merendamos nada más ella y yo, en una cocina como de la revista *House and Garden.* Mi amiga me enseñó cómo preparar las *ice cream sodas,* que me encantan. Es muy fácil, se ponen en la batidora dos bolas de *ice cream* de cualquier sabor, se agrega medio vaso de refresco con gas y se bate por tres minutos. Cuando le pedí a Paulina que me comprara una batidora para hacerme mis *ice cream sodas,* me contestó horrible: «Pago tu colegio o te compro tu aparato», dijo.

Además de las *sodas,* Patricia y yo cenamos hamburguesas con queso amarillo y donas con azúcar.

Sentada en uno de esos bancos altos, en medio de una cocina tan grande y moderna, me sentía en una película de Doris Day. Qué diferencia con la cocina de Nazas, allí habitan tres generaciones de ratoncitos, que por cierto extraño.

Nos quedamos platicando hasta tarde. Le conté que nuestra *sister* en Saint Paul's, *mother* Saint Maureen, había sido mi monja en el Villa Maria Convent cuando vinimos a Canadá en 1951. Le conté que a pesar de que era muy chiquita, mi mamá me había metido al internado junto con mis hermanas, y que todo el colegio me trataba como su mascota. Como yo no hablaba bien ni inglés ni español, las monjas se divertían mandándome de mensajera a cada clase con recados muy complicados, por eso me gané a fin de año una medalla que no existía y que nunca se la habían dado a nadie: la medalla de simpatía.

A pesar de que ya era tardísimo, de lo más linda, Patricia me acompañó hasta la parada del autobús. A las diez con catorce minutos en punto pasó el *bus* número 18, el mismo que tomo todas las mañanas para ir a Saint Paul's Academy. A esas horas había muy pocos pasajeros, todos ellos hombres; se veían como obreros. A unos los vi muy sospechosos, con sus sacos de cuadros muy gruesos. La verdad es que sí me dio miedo, pero como llevaba mis libros de la escuela, me puse a estudiar latín para el examen: *puella, puellae, feminine*. Estaba tan nerviosa que lo decía una y otra vez, con los ojos cerrados, hasta que llegamos a la parada de Avenue du Docteur-Penfield.

—Buenas noches —le dije al chofer, sin darme cuenta de que se lo estaba diciendo en español.

—*Buona sera* —me contestó haciéndome un guiño.

Al llegar al departamento, mi hermana todavía no había vuelto de su reunión. Puse la tele, me recosté en la cama con la piyama de franela que me compró mi mamá en La Violeta, la tienda de San Cosme, y vi un programa que me gusta mucho, el *Ed Sullivan Show*. Esa noche presentó a una joven que se llama Barbra Streisand; aunque es un poquito narigoncita, tiene una voz muy linda. Su canción *My coloring book* me hizo recordar a Lety. De toda la familia, es a la que más extraño. Tengo la impresión de que aunque tenga apenas cuatro años intuye que mis papás no son sus papás pero tampoco sus abuelos, aunque sí lo sean. Ojalá que mi mamá no le esté gritando constantemente que es una gordinflona.

Me dormí con la televisión prendida. De pronto, escucho una voz que me dice: «Hazte pa allá». Era mi hermana. Me moví contra la pared y entre sueños le pregunté:

—¿Qué tal estuvo el *cocktail*?

—Nada especial. ¿Llevaste la ropa a la lavandería?

—Sin falta la llevo mañana.

Desde que llegué a Montreal, mi hermana me expuso muy claramente cuáles serían las responsabilidades de cada una. «Mira, como yo trabajo todo el día pero cocino muy bien, me encargo de las compras y de hacer la comida. Tú te encargas de la limpieza de todo el departamento, de lavar los trastes y llevar la ropa al *laundry*». En realidad no me importó mucho porque el departamento es minúsculo y no es tanta la ropa que se ensucia. Además, ir a la lavandería es muy divertido. Por lo general van señoras vestidas con sus pantalones «pesqueros» y con mascada en la cabeza para ocultar sus tubos o sus anchoas. Casi todas llevan algo para leer, aunque sea la revista *Movie Star* o *Vogue*. Muchas de ellas mastican chicle. Algunas se depilan las cejas o se maquillan mientras su ropa se está lavando. Hay una señora muy rubia y de pestañas postizas que me intriga mucho, nada más lleva a lavar ropa interior negra y muchos *baby dolls* del mismo color. Siempre está apuntando cosas en una libretita; escribe y escribe sin parar. El otro día me preguntó:

—*What's your name, honey?*

No me atreví a darle mi verdadero nombre.

—*My name is Claudia.*

Se me quedó viendo muy raro y me preguntó si era italiana. Le dije que sí, que trabajaba en casa de unos condes.

—*How interesting!* —exclamó con su boca roja.

Después me ofreció unas pastillas dizque de menta, pero de plano le dije que no, y seguí leyendo el libro que me regaló mi hermano Toño para el viaje: *La conquista de la felicidad*.

Total, que mis obligaciones en la casa no son tanto problema. Lo que es insoportable es la hora de dormir, no descanso nada porque mi hermana tiene un hábito horrible: truena los dientes mientras duerme y hace un ruido como de ratones rasguñando la pared. Ya se lo he dicho; según ella, no lo puede evitar.

—¿No tienes miedo de que se te aflojen los dientes? —le pregunté el otro día. Se puso furiosa.

—De todas, yo soy la que tiene la dentadura más bonita. Así que no creo que se me «aflojen», como dices.

Es cierto, mi hermana tiene unos dientes preciosos: muy parejitos y extremadamente blancos. Debería sonreír más seguido, porque cada vez que lo hace se le ilumina toda la cara.

El caso es que siempre me despierto muy cansada. *Mother* Saint Maureen me preguntó la otra vez por qué tengo tantas ojeras.

—Así son los «ojos tapatíos» —le contesté.

No me entendió, nada más sonrió.

—*Do you have a boyfriend?* —preguntó.

—*Yes!* —le contesté.

Me vio con ojos de preocupación.

—*But in… Mexico City!* —agregué con una sonrisa maliciosa.

En seguida me abrazó y me sonrió con complicidad.

—*Is he good looking?*

—*He is exactly as Pat Boone!*

—*Good for you, my dear Sofía!*

Yo adoro a mi monja. Es irlandesa, medio pelirroja. De joven ha de haber sido muy bonita, como que le da un aire a Maureen O'Hara. Habla un inglés precioso y es muy dulce con todas sus alumnas. Quiere mucho a la familia Garay porque nos conoce desde hace muchos años, y porque sabe que mis papás hacen muchos sacrificios por la educación de sus hijos.

En Saint Paul's Academy se puede hablar de cualquier tema: de sexo, de cine, de libros, de artistas de cine y hasta de política. Desde que llegué a Montreal no me he confesado ni una sola vez. Siento que no lo necesito, tengo la conciencia tranquila, aunque a veces me acuerdo de Deby. Ella también me fue a dejar al aeropuerto. Cuando la vio, mi mamá le dijo: «Ay, niña, ¿por qué te pintas los ojos así? Te deberían mandar a Francia para que te pulas». Conociendo a Deby, pensé que le iba a contestar horrible. Nada más se reía y le contestaba: «Ay, señora, qué chistosa es usted».

Montreal, 6 de octubre de 1962

Querida Deby:

Por fin te puedo escribir con calma. Te lo juro que cuando te vi en el aeropuerto, me dieron ganas de llorar. No me lo esperaba. Te encanta dar sorpresas, ¿verdad? Lo que tampoco me esperaba fue que mi mamá te dijera tantas cosas tan desagradables. I'm sorry! Pero así es ella, ya ves, tú que no me creías. Lo malo es que la hermana con la que me vine a Montreal es por el estilo. Como quiero llevar la fiesta en paz, a todo le digo que sí, que claro, que cómo no, lo que ella diga y ordene, etc., etc.

¿Te acuerdas del muchacho con un saco de gamuza que estaba en el aeropuerto y que no dejaba de platicar con Inés? Bueno, pues ese es Rafael. ¿No te pareció guapísimo? ¿Qué crees que me dijo al momento de despedirnos? «Te voy a extrañar». ¿No es lo máximo? No te pongas celosa, ¿okey? Y aunque lo niegues, sé que tú también me extrañas. ¿Qué tal el Queen Mary? ¿Te confieso algo? No lo extraño para nada. Bueno, a la que sí echo de menos es a la miss *Elena y a la* miss *Peña. Siempre fueron muy lindas conmigo. Cuando las veas, salúdamelas por favor y diles que gracias a ellas me he dado a entender muy bien con mi inglés.*

No sabes, Deby, lo bonita que es esta ciudad, llena de árboles de todos los colores otoñales que te puedas imaginar. Todo el mundo aquí es muy amable. En las calles no hay basura ni limosneros, ni cilindreros, ni ropavejeros, ni chicharroneros, ni algodoneros, ni globeros, y menos pordioseros. Me muero de ganas de que ya empiece a nevar para hacer bolas de nieve y aventártelas, a miles de kilómetros, derechito a la cabeza (ja-ja-ja). Mi colegio está increíble, tiene un patio enorme. Todas las mañanas se juntan todas las clases de primaria y high school *para cantar el himno de Inglaterra: «God save the Queen». Después vamos a nuestro respectivo* locker, *guardamos nuestro abrigo (yo tengo una gabardi-*

na verde forrada de peluche), nuestro suéter, bufanda y guantes. En este colegio nada más para niñas no usamos uniforme, porque es entre privado y público. Mis compañeras canadienses no saben dónde está México, unas creen que está cerca de Argentina y otras piensan que hace frontera con Venezuela. Aquí los chocolates son deliciosos. Cada vez que puedo como unos que se llaman Caramel Milk. Entre los chocolates, los sándwiches de peanut butter y las ice cream sodas de fresa y vainilla, temo que estoy engordando, deberías ver lo cachetona que estoy.

¿Qué crees? Ya me está creciendo el pelo y la verdad me veo mejor que cuando me viste en el aeropuerto. El otro día fui a una fiesta del colegio. El baile fue en el gimnasio: todas las niñas estaban sentadas alrededor de donde juegan basketball, los niños bebían cervezas y ponche. Aquí todo el mundo baila de cachetito y se dan besos a la francesa mientras bailan. Después de tres canciones, algunas parejas desaparecían de repente y regresaban medio despeinadas y con cara de que acababan de hacer quién sabe cuántas cosas. A mí me sacó a bailar un muchacho igualito a Jerry Lewis, llevaba tenis, calcetines rojos y le sudaban las manos. En lugar de bailar, preferí irme a platicar con mi amiga cubana y con su prima que vino de vacaciones.

Hace una semana, mi hermana y yo nos cambiamos a un departamento más grande, en el mismo edificio: está en el último piso y compartimos la co-

cina con una china muy simpática que se llama Barbara y es enfermera en el Hospital General, que está
muy cerca de donde vivimos. Barbara es tan linda
que todos los días me deja una manzana sobre la barra para que me la coma cuando llego del colegio.
La ventana más grande del departamento está a la
altura de la azotea del edificio, basta con que dé un
brinco de la cama para estar afuera y tener una vista
padrísima de toda la ciudad. Cuando me siento medio tristona, me voy a la azotea y me quedo viendo el
paisaje durante horas y horas.

Y tú, Deby, ¿qué me cuentas? ¿Qué te has hecho? ¿No te aburres mucho sin mí? ¿Cómo están tus
novios? Te confieso que a veces te extraño y a veces para nada. No es que sea grosera, lo que pasa es
que estoy en otro mundo, con otra gente y con otro
idioma. Las únicas con las que hablo español son mi
hermana y mi amiga Mercedes, la cubana. Bueno, a
veces platico con los amigos españoles de Paulina.
También se ha hecho amiga de algunas aeromozas
españolas de Iberia. Además de ser muy parlanchi-
nas, siempre están echando relajo y se ríen de todo.
Son muy open-minded y les encanta organizar fiestas
junto con mi hermana a las que, naturalmente, no estoy invitada. ¿¿¿Quién sabe por qué???

¿Sabes qué horas son? ¡¡¡La una de la mañana!!!
Justamente mi hermana se fue con sus cuates españoles y no ha llegado. Me caigo de sueño. Antes de que
azote, te mando diez mil abrazos con quinientos be-

sos. ¡¡¡Escríbeme!!! Y por favor, no me saludes a tu nana. En Canadá no existen las nanas, ¡¡¡y menos de niñas teenagers!!!

SOFÍA

P. S.: *Lo que sí extraño un chorro son nuestras escapadas.*

Últimamente mi hermana llega cada vez más tarde. Odio quedarme sola. En el fondo, soy bien miedosa. Debería ponerme a estudiar, pero al final del día me siento medio cansada. Mejor me duermo para despertarme temprano. El otro día me dejó el autobús y llegué a Saint Paul's media hora más tarde. Cierro los ojos y me pregunto qué estará haciendo Rafael. ¿Ahora con quién irá a las tardeadas del Jockey? ¿Se habrá muerto su abuelita? Si fue así, ¿habrá heredado el Tiziano? ¿Ya habrá recibido mi carta? Sé que el correo es muy malo en México. Recuerdo haber puesto su dirección en letra de molde muy clarita. ¿Por qué no me habrá contestado?

Se escuchan pasos en la azotea del edificio. Por un momento pienso que es mi hermana: a lo mejor se le olvidó la llave y le da pena despertarme. No es posible, porque Paulina ya me habría gritado sin importarle que yo estuviera dormida.

Toc, toc, golpean en la ventana.

Híjole, y ahora, ¿qué hago?

—*Who is it?* —pregunto muerta de miedo.

Nadie me contesta. No veo nada afuera.

Toc, toc, escucho otra vez.

¿Y si es un ladrón? «Virgencita de Guadalupe, te pido por favor que no sea un ladrón. Espíritu Santo, fuente de luz, ¡ilumíname!» Me quedo muda. Paralizada: soy de palo. Tengo la boca seca.

Me asomo de ladito para cerciorarme de que ya no hay nadie. La azotea luce oscura y fría. Confirmo que afuera no hay nadie. Quizá fueron mis nervios, o a lo mejor fueron cosas de mi imaginación.

La cara de un hombre se asoma en la ventana.

Casi me caigo de la cama del susto. Es el *janitor*, el portero del edificio. Se me queda viendo, sonríe... y vuelve a tocar el cristal para que lo deje entrar.

Oh, my God! ¡Qué horror! No sé qué hacer. Él sigue allí, sonriendo y haciéndome señas para que le abra. De un brinco me levanto de la cama y salgo corriendo. Descalza, atravieso la cocina que divide los dos departamentos y toco la puerta de la china. Nadie responde.

—¡Barbara! ¡Barbara! —le grito. Seguro ha de estar de guardia.

No quiero regresar a la estancia, me encierro en la cocina. Me niego a salir mientras el *janitor* siga allí. ¿Y si rompe el vidrio? ¿Y si se mete aunque yo no le abra? Paulina, ¿dónde carajos estás?

Espero atenta a cualquier ruido. Silencio. Oscuridad. Sólo escucho los latidos de mi corazón. Pienso en mis papás y en mis hermanos, los extraño. No sé cuánto tiempo paso encerrada sin moverme ni un centímetro. Siento un alivio enorme cuando escucho la chapa de la puerta y veo entrar a Paulina a la cocina.

—Ay, Sofía, me asustaste —dice mi hermana—. ¿Qué haces allí sentada?

No sé si contarle lo que acaba de pasar. ¿Para qué? ¿Para que me diga que son cosas de mi cabeza? ¿Para que me diga que soy una carga y ni siquiera puedo cuidarme sola? «Chitón, perrito ladrón». Un secreto más a mi repertorio.

—Nada. No tenía sueño y me vine a sentar aquí.

—¡Qué calor hace! Es el estúpido del *janitor*, que pone la calefacción cuando todavía estamos en otoño.

—Sí, es un estúpido… ¡Tienes razón!

—Mañana hablo con él. ¿No sabes dónde quedó mi camisón?

—Está colgado en la puerta del baño.

—*Okey*. Ya vete a dormir. ¿Llevaste las sábanas a lavar?

Desde la cama y de reojo, observo a mi hermana desmaquillarse frente al espejo del baño. Con un algodón se pone su astringente para que se le cierren los poros, se aplica su crema de noche Orlane. Se lava los dientes y se cepilla el pelo. Prende la televisión y la pone muy quedito. Se acuesta, me volteo contra la pared. Hasta allí me llega un ligero olor a alcohol, seguro Paulina se tomó algunos *highballs*. No me importa, ya no estoy sola. Me duermo arrullada por el sonido de la tele y el crujir de los dientes de Paulina, pero esta noche no me importa.

Desde que pasó lo que pasó, ya no saludo al *janitor* como acostumbraba hacerlo: «*Good morning, sir! How are you today?*». Ahora comprendo por qué me hacía tanta conversación, que si Acapulco, que si el guacamole, que si el tequila. ¿Qué no se da cuenta de que soy menor de edad? Seguro ha de haber pensado: «Me cojo a esta mexicanita *and that's it!*». Él no es canadiense, es polaco, por eso tiene un acento rarísimo al hablar. Un canadiense jamás se habría atrevido a hacer eso. Ya no le pregunto si tengo correo, si ya llegó mi hermana o qué *bus* tomar para ir al *downtown*. El otro día le dije a mi hermana que ese viejo me daba mala espina. «¡Ay, no, es rebuena gente!» Típico de mi hermana, que no se da cuenta de nada. Vive, como dice la canción, en «un mundo raro».

—¿Por qué no me llevas a tus fiestas?

—¿Estás loca?

—¿Qué más te da? Así te acompaño y no regresas sola.

—¿Sabes por qué salgo tan seguido? Para que estudies. Si estoy yo en el departamento, tan chiquito y con la televisión puesta, no puedes estudiar. Lo hago por tu bien, ¿me entiendes?

—Podría estudiar en la biblioteca del colegio.

—¿Para que te regreses sola ya muy tarde?

—Siempre lo hago.

—Ay, Sofía, no seas necia. Si no estás contenta como estamos, mejor regrésate a México. No te olvides que fuiste una imposición de mi mamá.

8

Estoy en clase en pleno examen. Leo la pregunta número cuatro, que se refiere al verbo *ser* en latín, en indicativo imperfecto. No recuerdo la respuesta. Estoy hecha bolas, desvelada y cansada. No me puedo concentrar. De vez en cuando miro hacia donde se encuentra *mother* Saint Maureen, y me sonríe. Observo a mis compañeras, todas muy concentradas en su prueba. De pronto entra una monja y le dice algo al oído a nuestra *sister*. La monja dice que sí con la cabeza, en seguida nos advierte: «*Please, continue with your test, and be quiet. I'll be back in a few minutes*». Como por arte de magia desaparece frente a nuestros ojos. Estamos solitas, sin nadie que nos cuide mientras contestamos el examen.

No lo puedo creer. «*It's now or never*», me digo al pensar en mi buena suerte. Busco con insistencia los ojos de Patricia de Wilden, como pidiéndole ayuda. Miro hacia su papelera y le pregunto muy quedito:

—*Number four, please.*

Me ve con absoluto desconcierto.

—*What?* —me pregunta.

—*What's the answer for number four?*

Mi voz retumba por todos los rincones de la clase. Las compañeras más próximas a mi lugar me miran feo. Mercedes, que se sienta hasta atrás, me dice que no con la cabeza. Patricia se pone el índice en la sien, como diciéndome: «*Are you crazy?*».

Me siento sumamente avergonzada y tramposa. Tengo ganas de desaparecer. Recuerdo lo que me dijo Bella Idelson, la amiga de mi mamá, el día que fui a visitarla para llevarle el rebozo de seda que le mandaron mis papás: «Los canadienses no mentimos ni nos gusta pelear. Por eso todo el mundo nos encuentra muy aburridos». Sería imposible decir lo mismo de los mexicanos. ¡Cuántas veces no copié y veía copiar a mis compañeras del Colegio Francés! ¡Cuántas no hacíamos lo mismo en el Queen Mary! Seguro voy a reprobar mi examen de latín. Todo por culpa de estas canadienses tan aburridas. Lo que me preocupa es que vayan con el chisme con *mother* Saint Maureen. Como no obtengo ayuda, decido pedírsela al cielo: «Ven, Espíritu Santo, llena los corazones de tus fieles y enciende en ellos el fuego de tu amor. Envía, Señor, tu Espíritu. Que renueve la faz de la Tierra y me dé sabiduría para resolver este examen».

Regresa mi monja a la clase. Como siempre, se ve muy chapeada. Cuando se quiere rascar la cabeza cubierta por su hábito y su cofia muy almidonada, toma el enorme crucifijo que le cuelga de una larga cadena plateada y se rasca con la punta. Seguimos contestando el examen, continúo sufriendo. ¿Para qué servirá el latín? Me pregunto si en Canadá existen los exámenes extraordinarios como en México. Me acuerdo que para pasar a primero de secundaria tuve que presentar, durante las vacaciones, el de historia y el de matemáticas. Mi papá me llevó al colegio muy temprano: cuando íbamos por Insurgentes me preguntó lo que había estudiado. En realidad no me había preparado casi nada, y para colmo invertí las fechas de los exámenes: pensé que tocaba uno cuando tocaba el otro. Para cambiar la plática, empecé a preguntarle a qué países había viajado.

—España, Francia, Inglaterra, Italia, Argentina, Brasil, muchas ciudades de Estados Unidos y, naturalmente, Canadá.

—¿En cuál de todos esos países vivirías para siempre? —le pregunté.

Se quedó callado un buen momento y luego me contestó con una voz como que venía de lejos:

—En la isla Tristán de Acuña.

—Esa no la dijiste.

—Es que nunca he ido, pero la imagino. La primera vez que escuché hablar de ella fue cuando era muy joven, en un libro de Julio Verne.

—¿Dónde está esa isla, papá?

—En un lugar muy remoto, el lugar más lejano del mundo. Cerca de la isla Santa Elena, donde murió Napoleón. Esta isla fue descubierta en 1506 por el conquistador portugués Tristán de Acuña. Él pensaba que nadie más tendría acceso a ella. Muchos años después llegaron los ingleses, y en el siglo XIX la unieron a lo que se llamaba Edimburgo de los Siete Mares. En realidad lo hicieron con fines militares.

—¿Por qué?

—Era lo único para lo que servía la isla: nadie quería ocupar un volcán activo en medio del Atlántico Sur. Esto les convenía a los británicos, que no querían que los estadounidenses y los franceses se apropiaran de ella. Por eso, con los años, los ingleses crearon pequeñas industrias de pescado y mariscos, pero no les fue tan bien. Es una pequeña colonia con muchos problemas.

—Entonces, ¿por qué te gustaría irte a vivir allí, papá?

—Porque está lejos de todo. Y además tiene una naturaleza muy bonita.

Estaba feliz de que mi papá, siempre tan callado y lejano, me platicara algo secreto. Nunca he sabido si también le contó de la isla a Toño o a alguna de mis hermanas. Por si las dudas, yo no le he dicho a nadie.

Durante esas vacaciones mi mamá tuvo la idea de pedirle prestada su casa de Acapulco a mi tía Esthercita. Como mi hermano y sus amigos del CUM estaban en plenos exámenes finales, se le ocurrió invitarlos a todos. A mí no me invitó, me llevó a chaleco, para que le ayudara a atenderlos.

«Allá vas a estudiar mucho mejor para los exámenes que en la casa. Y cuando no estés estudiando, me ayudas», me dijo. Lo malo fue que me la pasé acompañándola al mercado a las siete de la mañana para encontrar fresco el pescado, poniendo la mesa y lavando trastes tres veces al día. Por las noches platicaba con todos en la maravillosa terraza, desde donde se apreciaba la bahía y la parte vieja del puerto como en Technicolor.

Platicábamos tanto y de tantas cosas que terminábamos desvelándonos hasta la madrugada; lo que menos quería a esa hora era estudiar. Al otro día, mi mamá se despertaba tempranísimo para prepararles a mi hermano y sus amigos un desayuno como de hotel de cinco estrellas. No sé por qué trata a los cuates de Toño con tantas consideraciones: les platica, los hace reír, les recomienda libros, les da consejos, les explica la historia de Francia, les cuenta de Guadalajara y de sus monjas francesas. En Acapulco, hasta les cocinó todo tipo de pescados, mariscos y guisados de sus recetas de Guadalajara.

Nos fuimos todos en camión Tres Estrellas. Aunque el plan no sonaba tan mal después de todo, en el fondo no me sentía tan contenta porque el único que faltaría era Esteban. Pero iba Luis, cuya personalidad me intrigaba mucho, siempre me daba la impresión de tener muchos secretos. Es el más callado y reservado del grupo de amigos de mi hermano pero sabe escuchar, por eso se puede pasar horas oyendo a mi mamá sin interrumpirla ni una sola vez. También platica mucho con mi papá. Como él, Luis es un apasionado de la música. Dice Toño que en su casa de San Ángel tiene más de mil discos LP, entre música clásica y óperas. Otra cosa que tengo clarísima: aunque mi hermana Emilia nada más tenga doce años, está enamorada de Luis: cuando lo ve en la casa se pone roja y no se atreve a emitir una sola palabra. Luis como que se hace el desentendido, pero bien que sabe. Su historia de amor es como la novela de Jane Eyre. Qué bueno que mi hermanita tenga una ilusión en su vida. Tengo la impresión de que no se halla en la familia que le tocó, aún menos desde la llegada de Lety. Sin embargo, nunca ha dejado de ser una excelente alumna: siempre becada, siempre puros dieces. Seguro que no ha copiado una sola vez en su vida.

Entregamos los exámenes a *mother* Saint Maureen. Al mío le falta una que otra pregunta por contestar. Creo que el Espíritu Santo tampoco se sabía la número cuatro, porque por más que le pedí que me la soplara, no me dijo nada. Y eso que era latín...

Le pregunto a la monja si puedo hablar con ella después de clase. Me dice que sí al mismo tiempo que entrecierra sus ojos, tan bonitos. Una vez que se van todas las compañeras, nos encaminamos a donde se encuentran los *lockers*. Allí, sentadas en una banca, le cuento lo que pasó durante el examen; le digo que estoy muy arrepentida y prometo que no vuelve a suceder. Me escucha con una sonrisa en los labios, me toma de las manos y me dice.

—*Don't worry, Sofía.*

Insiste en decirme que no me preocupe, que entiende que no me resulta fácil estar en un país extranjero tan lejos de mis papás. Sugiere que estudie más para el examen final, y yo que pensaba que era ese. Antes de despedirnos, me pregunta por mi hermana Paulina.

—*She's quite difficult!*

—*Yes, I know.*

Las dos nos reímos. Mientras me acompaña hacia la salida, comenta que ya está haciendo un poco de frío y considera que mi gabardina verde está muy delgada para esa temperatura. Le muestro el peluche del interior y me dice muy maternalmente:

—*It's not enough!*

Estoy sentada en el *bus*. A mi lado se encuentra una señora elegante, con un traje sastre de *tweed* muy grueso. En el cuello lleva una mascada de seda, las manos cubiertas con guantes de piel muy fina. Alta, delgada y rubia, le da un aire a Grace Kelly. Nos miramos y nos sonreímos. A partir de ese momento imagino su vida. Imagino su casa, con mucha madera, muy bonita y acogedora, con muchos muebles de terciopelo verde oscuro. Imagino que tiene un perro cocker spaniel color miel con el que juegan sus dos hijos: la niña muy parecida a ella; el niño, a su papá. Imagino a su marido, de pelo castaño y ojos azules. Es abogado, fuma pipa y trabaja para una firma francesa de abogados. Los dos se quieren mucho y tienen muchos amigos muy ricos que también viven en Westmount, con los que se van a pescar los *weekends*.

La señora se levanta de su asiento y me dice *bye* con su mano enguantada y su boca muy roja. Le contesto con otro *bye*. Todavía me faltan como cuatro paradas antes de llegar al departamento. Pienso en lo que me dijo *mother* Saint Maureen de mi gabardina verde. Ya me lo ha comentado Mercedes: «Oye, chica, que con ese abriguito que traes te vas a morir de frío». No sé si después, quizá en un mes, me congele hasta los huesos. Por el momento no siento nada.

—*You've got a letter from Mexico* —me dice el *janitor* cuando llego a casa. Me muestra el sobre aéreo con timbres postales mexicanos. Siento que me da un vuelco el corazón y de inmediato pienso que puede ser de Rafael.

—*If you are nice to me, I'll give you the envelope.*

—*Thank you* —le digo y le arrebato el sobre.

Corro hacia las escaleras, subo los escalones de dos en dos porque el elevador es demasiado lento. Guardo la carta en la bolsa de mi gabardina, prefiero abrirla con calma en el departamento. Traigo cara de pillina cuando me topo con Barbara.

—*Oh, darling, hello!* —me saluda la china con una enorme sonrisa. Lleva bata y tubos en la cabeza.

Me cuenta, con su acento muy oriental, que tiene una cena en la noche.

—*Do you want to come, dear?*

Le digo que no, muchas gracias. Insiste. Dice que son dos amigos chinos adorables, viven en un departamento muy *nice* y uno de ellos es un excelente cocinero. Le explico que me siento muy cansada por lo del examen y prefiero irme a la cama temprano. Entonces me acuerdo de que mi hermana va a llegar tarde porque tiene un coctel. El riesgo de quedarme sola y que se me apareciera de nuevo el *janitor* me da pavor.

—*Yes! Why not? I'll come with you.*

Abre lo más que puede sus ojos rasgados y exclama:

—*Okey-dokey!*

Es la expresión favorita de Barbara, la dice todo el día. «Seguro viene de una familia *su-ma-men-te* modesta», dice mi hermana Paulina con su tonito especial. Concluyó esto por la manera en que Barbara come el arroz, con el plato hondo prácticamente sobre la cara y moviendo los palillos a toda velocidad. «Por ejemplo, yo te puedo decir de qué familia proviene cada monja, incluso con el mismo hábito que llevan todas las monjas, nada más por la forma en que come». Para ella, el mundo se divide en dos: los que saben pelar *co-rrec-ta-men-te* un durazno con un cuchillo y los que no saben.

—*We will leave at seven o'clock. Please, Sophie, don't be late.*

—*Okey-dokey!* —le digo con complicidad.

Me despido de ella y como de rayo huyo al departamento. Meto la mano en la bolsa de mi gabardina, saco el sobre y, sin saber todavía quién me escribe, beso el papel. Me siento en la silla de nuestro comedorcito y me fijo en la escritura. «¿De mi papá?», me pregunto al reconocer su inconfundible letra. Abro el sobre y extraigo una hoja muy delgadita. Está doblada en dos. La despliego y descubro un dibujo pintado con crayones de colores; es una niña gordita y tiene la cara cubierta de lágrimas. A sus pies hay un charquito. En un cielo pintado de azul turquesa, vuela algo parecido a un avión. Busco la firma y alcanzo a leer unas letrotas, mal escritas, que dicen: «Lety».

No lo puedo creer. Es un dibujo de mi hermanita adorada. Lety me está diciendo, a su manera, que está triste y me extraña. Estando tan lejos, ¿qué podría hacer por ella? Cada vez que pienso en ella, la imagino comiendo desaforadamente. No, más bien tristemente. La veo frente a la tele con galletas y dulces. Sé que mi papá la adora y la cuida como la niña de sus ojos, pero también sé que mi mamá puede ser muy violenta y muy impaciente con ella. Y mis hermanas no ayudan, siempre sumidas en sus cosas: novios, trabajos, estudios, sus propios problemas. ¿Para qué me vine a Montreal? Me hubiera quedado en México cuidando a Lety. Y a mí, ¿quién me cuida? *Nobody!*

¿Por qué mi papá no me puso en la carta de Lety aunque sea unas líneas para preguntarme cómo estoy? Híjole, nunca me imaginé que el dibujo de mi hermana me provocaría tantas dudas: ¿por qué nadie en la casa me había contestado las cartas que les escribí? ¿Por qué no me escribían ni Rafael, ni Deby, ni Carmen, ni Amparo, ni Inés, tampoco mi tía Guillermina? Si en estos momentos hiciera un dibujo para expresar lo que siento, yo también dibujaría a una niña llorando y con un charcote a sus pies. Además le dibujaría un corazón partido en dos, y en cada parte escribiría «Sofía» y «Rafael».

Le hablo por teléfono a mi hermana para avisarle que voy a salir con Barbara.

—¿Con la china?

—Sí, con nuestra vecina.

—Ten cuidado, porque ha de tener costumbres muy extrañas. No llegues tarde.

—No te preocupes, traigo mi llave.

Abro el clóset y de la ropa de mi hermana elijo su *twin set* color coral, de *cashmere,* una bufanda escocesa y mi falda tableada. Me pongo mis mallas verdes, como mi gabardina.

El departamento de los chinos está muy lejos y prácticamente vacío. No tiene muebles, sólo un silloncito forrado de pana gris. En la pared hay un póster de Mao, al fondo un tocadiscos portátil, una mesa y cuatro sillas. En cada cuarto no hay más que un colchón tirado en el suelo. Barbara y sus amigos hablan en chino. No entiendo ni papa, sólo sé que se ríen y empujan como si estuvieran jugando a los encantados. Los dos chinos son muy feos, no hay ni a quién irle. Muy delgados, con el pelo lacio y los dientotes salidos. El mayor tiene un suéter azul marino de cuello de tortuga con diez mil lavadas; el otro lleva una camisa blanca que se le sale del pantalón. Es el chef, el que cocinó la cena. Y ahí sí debo reconocerle que con dientotes o sin dientotes, la sopa de tallarines, el arroz y el pollo agridulce le quedaron deliciosos. Cada cinco minutos nos sirve un aguardiente de sorgo llamado *baijiu*, también muy rico. Yo como de todo, parezco pelona de hospicio.

Después de la cena Barbara está desatada. Se deja abrazar y besar por el chino mayor. Más que enfermera, parece una «cuatro letras», como diría mi mamá. No quiero imaginarme lo que dirían los doctores del Hospital General si la vieran en estos momentos.

—*What's your name?* —le pregunto al más joven y se muere de la risa. Estamos los cuatro sentados en el sillón, todos medio borrachitos. También yo me río como mensa. Barbara se hace la payasa y nos muestra sus uñotas, se quita los zapatos y nos enseña, muy cerquita de la cara, sus taconzotes. El más joven me jala del brazo como para llevarme a uno de los cuartos. Me niego rotundamente. ¿A poco se imagina que él y yo vamos a terminar acostándonos como si nada?

—Si le sigues, le voy a hablar a la policía montada.

Se lo digo en español y se muere de la risa. Desaparece y reaparece con un tubo de bambú. Abre el tapón y, como si fuera un mago, saca un sombrero de paja color marfil; lo desenrolla y lo pone en mis manos con cara de alegría. Es de ala ancha, muy fino y suave. Me lo pongo y comienzo a cantar la canción que me cantaba mi papá:

En un bosque de la China,
la chinita se perdió,
y como yo andaba perdido
nos encontramos los dos.

Todos me aplauden. Me siento la divina garza con mi sombrero, decido estudiar canto y convertirme, una vez que termine mis estudios, en una gran cantante de música folklórica de todo el mundo. Barbara saca su polvera y me pone el espejito enfrente para que me vea con mi sombrero. La verdad es que no me queda nada mal. Mi vecina china me explica que es como el que usan las mujeres en los campos de arroz para protegerse del sol.

El más viejo corre al cuarto y reaparece con una cámara fotográfica marca Shanghai. La lleva colgada del cuello, se ve que le pesa mucho. En la mano izquierda sostiene un *flash*.

—*Take a pic…!, Take a pic…!* —lo anima el joven. Lo dice tan rápido y con un acento tan malo que apenas se le entiende. Para ese momento ya me cae muy bien. Es tan chistoso, me recuerda al Loco Valdés.

—*Okey, okey* —dice el de la cámara.

—*Say cheese!* —grita Barbara para que salgamos muy sonrientes en la foto. No nos cuesta ningún trabajo, los tres estamos muertos de la risa, yo más con mi sombrero. Pongo una cara tipo Audrey Hepburn. *Clic*, hace el fotógrafo. Parecemos mensos porque no dejamos de reír. Me siento flotando…

Put your head on my shoulder
Hold me in your arms, baby
Squeeze me, oh, so tight
Show me that you love me too.

Me encanta Paul Anka. Y ahora que sé que es canadiense me gusta mucho más. ¡Qué daría por estar en estos momentos en los brazos de Rafael!

Mi *blind date* se toma muy en serio la letra de la canción, y pone su cabezota grasosa sobre mi hombrito. Por más *dizzy* que pueda estar, me doy cuenta perfectamente de que mi pareja se está propasando. ¿Bailarán así en China? No pongo mucha resistencia porque quiero que me regale el sombrero. Veo de reojo a mi amiga y descubro que está prácticamente incrustada en el cuerpo de su *date*. Los dos tienen los ojos cerrados, se han de imaginar solitos en la Ciudad Prohibida.

Ya ha de ser tardísimo y nosotros cuatro seguimos cantando, junto con Paul Anka, *Kisses at the phone*. No quiero ser la típica aguafiestas, pero mañana tengo colegio y me muero de sueño. Por más que se lo digo, no me escucha, está colgada del cuello de su pareja y me tira a Lucas.

—*Excuse me* —le digo a mi chino y me voy a sentar sola al sillón gris.

El menso se queda bailando solo. Con todo y sombrero, pongo cara de aburrida. Nadie me hace caso.

Para llamar la atención decido recostarme a lo largo del sillón. Quién sabe cuánto tiempo me he de haber quedado dormida, porque cuando abro los ojos ya no hay nadie. De un brinco me pongo de pie y corro hacia las habitaciones. ¡Híjole!, ¿qué es lo que veo? Barbara entre las sábanas con los dos chinos, los tres desnudos y profundamente dormidos. Mirando para otro lado, no vaya a ser que despierten y crean que estoy espiándolos, me acerco al colchón, me inclino hacia donde está mi amiga y le toco el hombro. No reacciona. Qué extraños se ven los tres acurrucados. Los observo y los imagino de niños. Me dan ternura. Insisto en despertar a Barbara. Por fin abre los ojos. Está totalmente ida, quién sabe qué dice en chino. Luego me reconoce.

—*Oh, Sophie, what happened?*

Le digo que ya es tardísimo y nos tenemos que ir.

Barbara y yo vamos en taxi hacia la casa. Yo, medio enojada porque el chino no me regaló el sombrero. Estábamos a punto de irnos cuando se nos apareció tambaleándose el más joven. «*The hat, the hat!*», empezó a gritar. ¿No que no hablaba inglés? ¡Mentiroso! «*Goodbye!*», le dije molesta al regresarle su horrible sombrero. Al fin que ni lo quería. En México los hacen mucho más bonitos. Además, el invierno está por empezar, ¿de qué me serviría un sombrero de paja para el sol? ¿Para protegerme de la nieve?

Mi amiga se duerme durante el camino. ¿Qué habrá pasado en ese cuarto? ¿Habrán hecho el amor entre los tres? *How strange!* A lo mejor es una costumbre china. En todo caso, no pienso contarle nada de esto a mi hermana. A lo mejor se le antoja el plan. Qué barbaridad, sin querer me estoy volviendo de lo más secreta. ¿Qué voy a hacer con tantos secretos?

9

Montreal, 22 de octubre de 1962

Mi querida Lety:

Sé que mi papá te está leyendo esta carta, lo cual me permitirá contarte muchas cosas. No sabes el gusto que me dio recibir tu dibujo tan bonito. Todavía no lo he enmarcado porque aquí no encuentras fácilmente, como en México, a los señores de los marcos. Hace un mes empezó el otoño, y haz de cuenta que todas las hojas de los árboles las pintaste tú con tus colores: rojo, anaranjado, amarillo, ocre y hasta lila. Aquí podrías pintar los árboles con todos los lápices rojos que tienes; si no los completas, dile a mi papá que te compre una caja de Prismacolor, pero la que tiene treinta y seis colores. Les sacas muy bien la punta, te pones a dibujar un país imaginario donde nada más crecen puros árboles de colores y después me lo mandas, okey?

Ay, Lety, si supieras cómo te extraño, te vendrías a verme hasta en patín del diablo. ¿Cómo vas en el colegio? ¿Acompañas mucho a mi papi al súper para comprar sus botellas de agua Electropura? ¿Has ido a la casa de Inés a jugar con sus perros?

¿Sabes lo que más extraño de México, aparte de ti? Las tortillas. Aquí no hay, así que no me puedo hacer mis quesadillas que tanto me gustan. Tampoco encuentras queso Oaxaca ni frijoles. Aquí la Coca-Cola sabe distinto, es como muy azucarada. Es mejor la de México.

¿Qué crees, Lety? Que en recreo, junto con mis amigas de la clase, tenemos un juego muy padre. Somos seis, pero pueden ser más niñas. Formamos un círculo y empezamos a cantar en inglés:

Who stole the cookie from the cookie jar?
Was it you, number four?
Who, me? Couldn't be.
Then who?
Number six?

Y así hasta que le toca a cada una de las niñas preguntar quién se robó la galleta.

La ciudad de Montreal es muy bonita, ideal para niños, porque hay muchos parques con juegos de todo tipo. Todo el mundo es muy amable y siempre te quieren ayudar. Aquí la policía, perfectamente bien uniformada, ayuda a los niños a atravesar la calle y a tomar el autobús. La Policía Montada es importantísima, existe desde hace muchos años: va a caballo y se distingue de los otros policías porque usan un saco rojo y un sombrero de cowboy. *Son muy disciplinados y fuertes. Y hablando de fuerza, ¿sabías que el hombre más fuerte del mundo, como tú, nació en Canadá? Se llamaba Louis Cyr. Con un solo dedo llegó a levantar doscientos veintisiete kilos. Vi una fotografía muy antigüita, color sepia, donde aparece Cyr con su camiseta negra y sus pantalones rayados levantando una mesa con quince hombres encima con su espalda. ¿Te das cuenta, Lety? Pero la foto más famosa es aquella en la que se ve a Cyr en medio de cuatro caballos. En cada mano tiene una cuerda que sujeta a los dos caballos que están de cada lado. Es decir, entre más latigazos recibían los caballos, más hacían lo posible por salir corriendo. Dicen que con este número tan difícil de realizar, el hombre más fuerte del mundo casi se parte en dos como si un gigante con unas tijerotas lo hubiera partido a la mitad. ¿Te acuerdas cómo parte el pollo la pollera de mi mamá? Bueno, pues así hubiera terminado este* circus man, *cuya fuerza rompió todos los récords del mundo. Muy poco tiempo después de este espectáculo el pobre Louis Cyr se murió a los cuarenta y nueve* años, *y dejó una leyenda preciosa.*

Bueno, queridísima Lety, te dejo porque tengo que ir a la lavandería; de lo contrario, tu hermanita Paulina me regañará horrible. Cuida mucho a mi papá. Salúdame a todas las misses *del kínder Alitas. Cuídate mucho. No comas demasiado.*

Te quiere mucho, mucho, mucho, tu hermana,

SOFÍA

Al terminar mi carta para Lety sentí mucha nostalgia. Me prometí que un día, cuando tuviera dinero, la invitaría a Montreal y la pasearía por todos los bosques y lagos. También me dije que le podía costear sus estudios en Saint Paul's Academy, en realidad no es nada caro: cincuenta dólares al mes, por eso mi papá puede pagarlos tan puntualmente. Pase lo que pase, Lety tiene que estudiar en el país donde nació, el problema es que no sé dónde estará su pasaporte canadiense. ¿Lo tendrá mi papá, o Amparo? Da igual, porque si Lety está registrada como hija y con los apellidos de sus abuelos, no la van a dejar venir. ¡Qué lío!

Hoy, como casi todos los domingos, mi hermana me despertó temprano para que fuera a misa a la Basílica de Notre-Dame. Por lo general, ella se queda en la cama viendo la tele o leyendo sus revistas francesas como *Paris-Match* y *Point de Vue*, donde aparece toda la aristocracia europea. Si voy, no es que continúe siendo tan devota como era en México, lo que me gusta es visitar la capilla de la Virgen de Guadalupe, la cual, gracias a mi mamá, se encuentra en una lateral de la catedral, gran tesoro de Quebec. Cuando vivíamos en Montreal mi mamá se trajo la imagen, pero sobre todo la fe hacia la virgen mexicana. El día de la inauguración vino el cardenal de aquí, muchos sacerdotes, monjas del Villa Maria Convent, *mother* Saint Maureen, el cónsul y toda la gente que trabajaba con mi papá en la ICAO. Para esa ceremonia tan importante, mi mamá se puso su mantilla negra que le llega hasta los pies, parecía una auténtica Dolorosa. Allí está la foto, colgada en la sala de la casa entre muchas pinturas de personajes extraños como el tío Nachito de mi mamá, todos nacidos en Guadalajara; Paulina se trajo una copia que enmarcó y es el único cuadro que tenemos en el departamento. Yo salgo de cuatro años y con un abrigo de lana que me queda enorme porque era de mi hermano (ese sí que era un buen abrigo, no como mi gabardina verde) al lado derecho del cardenal, que sostiene con las dos manos la imagen de la Virgen con su marco dorado. Llevo botas de hule y guantes de lana que también me quedan grandes. Con los ojos bien abiertos, tengo cara de que acabo de ver un milagro. A mi lado está Ana, mi hermana, muy sonriente. Trae un sombrerito muy chistoso, como los que usan en el Salvation Army. Aurora lleva bufanda alrededor del cuello, ella sí muy seria, parece que está rezando. Paulina se encuentra atrás y tiene cara de traviesa. Todas usamos botas de hule, la ceremonia ha de haber sido en pleno invierno. No sé por qué invitaron a tantas chicas que le dan la espalda al altar principal: son cerca de cien y todas parecen novicias. Las caras de Amparo e Inés están mezcladas entre la gente; por más que las busco no las reconozco.

Cuando me encuentro frente a la Virgen le rezo por la familia, por mi mamá para que no grite tanto, por Amparo para que no le pegue el marido, por Lety para que no tenga tanto apetito, por Aurora para que su novio «se pronuncie», como dice mi mamá, y le pida la mano, por Ana, para que su novio no la manipule tanto y por mi hermana Paulina para que encuentre un novio formal, no como esos dizque pretendientes españoles que nada más se quieren divertir con ella. Por último, le rezo para que Rafael me escriba pronto.

Después de misa, voy a comer con Barbara al Chinatown, un restaurante muy tradicional. Según mi amiga, es el mejor de todos. En este barrio hay muchísimos restaurantes, tiendas y mercados. Nunca imaginé que la comunidad china fuera tan antigua e importante en Canadá. Después de pedir un *dim sum* para dos, me habló de su trabajo como enfermera. Me contó que hacía de todo, desde poner inyecciones hasta ayudar a los médicos en las cirugías. Me explicó también cómo bañaba a los viejitos con una esponja de mar y mucho jabón, y que cuando uno de ellos tenía una erección, juntaba su pulgar y el dedo de en medio y hacía *clic,* para que se les bajara por completo su *pajarito*. La descripción de Barbara se me hizo tan chistosa que no dejaba de reírme, y entre más me reía, más me enseñaba con sus dedos cómo le hacía. *Clic, clic, clic* hacía con sus dedos. Después me preguntó por qué había yo engordado tanto en tan poco tiempo. Le confesé que cuando llegaba del colegio me tomaba hasta cuatro vasos de *ice cream soda* y que comía muchos chocolates Caramel Milk.

—*You eat a lot because you're lonesome* —me dijo señalándome con su enorme uña nacarada.

Hablamos de mi hermana y de plano me dijo que no le caía muy bien, porque me dejaba mucho tiempo sola.

—*She's very snob* —me comentó muy seria.

Es cierto que mi hermana jamás aceptaría ir a comer o cenar con Barbara. Qué tonta, porque si un día se enferma no la va a atender; nunca platica con ella y apenas si la saluda. En cambio, ella ha sido muy linda conmigo. Si como fruta es gracias a que Barbara me la compra: «*An apple a day keeps the doctor away*», siempre me está diciendo. Hace como tres semanas me pasó una cosa horrible con ella. Llevaba días diciéndome que se quería cortar el pelo pero nunca tenía tiempo de ir al salón de belleza. Yo le decía que no se lo cortara porque lo tenía muy bonito y brillante, y que con ese largo se podía peinar a la Grace Kelly; es decir, hacerse un chongo de taco. La vi con tantas ganas de cambiar de peinado que se me hizo muy fácil proponerle cortárselo yo. La instalé en una silla en su departamento, le puse una toalla para evitar que los pelitos le cayeran sobre su suéter y poco a poco empecé a cortárselo. Y mientras estábamos *güiri güiri* y risa y risa, me di cuenta de que le había cortado más de un lado. Quise emparejárselo del otro, pero se me pasó la mano. «¡Híjole!», pensaba para mis adentros preocupadísima, pero en lugar de pararle, le cortaba y le cortaba más. Ella no se podía ver en el espejo porque tenía la cabeza agachada y yo tenía el espejo de frente. Llegó un momento en que tuve que pararle. Se levantó de su silla, se vio en el espejo y exclamó:

—*Oh, my God!!!*

Con las tijeras en las manos, le decía casi con lágrimas en los ojos:

—*I'm so sorry… Please forgive me…*

La verdad es que la había dejado horrible. No sé qué me pasó, confieso que fui muy irresponsable; lo único que quería era ayudarla y hacerle un favor. Barbara es tan linda que me perdonó. Tuvo la genial idea de comprarse una peluca del mismo color de su pelo con el peinado de Twiggy. La verdad es que se ve mucho mejor, más joven pero sobre todo más moderna.

Hoy, por fin, recibí una carta de mi amiga Carmen. En ella me pone al tanto de las más recientes fiestas, los cocteles, las inauguraciones y las tardeadas. En primer lugar, me platica acerca del Grito en Palacio: lo que se me hizo rarísimo es que fuera de pareja de Esteban. Que yo sepa, a él no le gusta Carmen, además odia las fiestas que tengan que ver con el gobierno. Lo malo es que Carmen, en su carta, no me aclara quién invitó a quién. En vez de que me contara acerca del ambiente en el Zócalo y de la forma en que dio el grito López Mateos, chismosa como es, se pone a criticar a Avecita porque llevaba una pequeña corona en medio de un «chongo espantoso», frase a la que le puso muchos signos de admiración. Según Carmen, la hija del presidente no tiene nada de cintura, lo cual contrastaba con la delgadez de una barbaridad de niñas bien que también fueron invitadas. Exagerada como es, me contó que estuvo platicando horas con el embajador de Francia; claro, como buen francés, no le debe haber quitado los ojos de su voluminosa *poitrine*. También estaba la hija del embajador, que se llama Nadine, de quien dice que está de novia de un *junior* millonario, súper conocido en el mundo de los *juniors*. «*Names, names, names!*», empecé a gritar yo solita, furiosa porque mi amiga se olvidó de escribir su nombre.

Me reí mucho con la descripción que hizo Carmen del Baile del Antifaz al que fue, con su prima Teresa, al Salón del Ángel del hotel María Isabel. Me cuenta de los premios para los mejores antifaces y de los jueces que estuvieron, como Fernando Soler, su esposa y su hermano Julián Soler con su mujer millonaria. De los otros no me dice una sola palabra. Lo que sí detalla son algunos antifaces, como por ejemplo el que llevaba Lily Soto Cuevas, el cual se llamaba «Conquista de México»; parece ser que se asemejaba al penacho de Moctezuma, con plumas de diferentes colores. Ja-ja-ja. No me quiero imaginar la cursilería de todo eso. Según Carmen, una amiga de su mamá llevaba un antifaz llamado «Noche de París», nada menos que con la Torre Eiffel en metal plateado sobre plumas de faisán dorado y flores. Ja-ja-ja. También me platicó que se encontró a mis amigas Cecilia y Carmen Madrazo; Carmen llevaba un antifaz que se llamaba «Fantasía en azul», con plata y lentejuelas. «El paraíso» era una alegoría con Adán y Eva; había una «Orquídea sobre nieve» y otro que se llamaba

«Tormenta». Pero el mejor antifaz fue el de una señora que se llama Guadalupe Cortázar. Sobre su cabeza llevaba... ¡un búho disecado!, con adornos verdes y plumas con brillantes.

La verdad es que no extraño esas fiestas. Desde Montreal, me parecen entre ridículas y provincianas. Me apena mucho que Carmen no pueda salirse de ese círculo tan superficial y frívolo. La última fiesta a la que fui en México antes de venirme a Montreal fue la que organizó Relaciones Exteriores para recibir a John F. Kennedy y su esposa Jackie. Ahí sí que estaba todo México, desde Miguel Alemán Velasco, Christiane Martel y Bruno Pagliai, hasta Jacobo Zabludovsky. La que estaba guapísima esa noche era María Rodríguez, casada con Óscar Obregón: traía una blusa blanca escotada, igualita a la que llevaba Jane Russell en la película *Los caballeros las prefieren rubias*, con una falda floreada. Todo el mundo dice que se parece a María Félix por la forma en que trae el pelo, y porque se pone un lunar cerca de la boca. Quien no le quitó los ojos en toda la noche fue Juan Sánchez Navarro.

Jackie Kennedy llevaba, para la cena de gala, un vestido de Oleg Cassini y un prendedor y aretes de brillantes enormes cuyo brillo competía con el candil del salón. También llevaba guantes de antílope blancos que le llegaban hasta el codo. Estaba muy bien vestida; con razón ganó por segundo año consecutivo el título de la Mujer Mejor Vestida del Mundo. En segundo lugar quedó Gloria Guinness, esposa de un banquero. Cómo se rio mi papá con la caricatura de Abel Quezada que llamó «Las olvidadas», donde dibujó a «Las damas mexicanas» muy mal vestidas. Me acuerdo que al final de su cartón escribió: «Que México es un país en etapa de desarrollo… ¡Si supieran desde cuándo superaron esa etapa nuestras damas de sociedad!»

Si de por sí Jackie me caía muy bien, me cayó todavía mejor cuando me enteré de que había dado, en la embajada de Estados Unidos, su discurso en español. Según la crónica de Agustín Barrios Gómez, dijo que este era su segundo viaje a México; el primero había sido durante su luna de miel en Acapulco. Lo mejor fue lo que declaró antes de terminar, me gustó tanto que hasta lo copié en un cuaderno: «El antiguo espíritu de México es lo que no ha cambiado. Este nos hace recordar que el progreso material se puede alcanzar sin destruir los valores del corazón y de la mente humana». Estoy segura de que al escuchar esto, López Mateos se enamoró de ella. Jackie tiene un atractivo muy especial, sin ser una belleza de Hollywood como Lauren Bacall, posee un encanto personal que muchas de estas artistas de cine darían cualquier cosa por tener.

Quién sabe cómo le hicimos Carmen y yo, el caso es que esa noche de la recepción a los Kennedy nos metimos hasta el comedor de Relaciones Exteriores, forzando toda la seguridad que había; eran tales nuestras ganas de ver al presidente de Estados Unidos y a su esposa que casi les lloramos a los cadetes que vigilaban la entrada. Cuando finalmente se abrió la puerta, justo delante de la mesa de gala, mi amiga y yo nos encontramos enfrentito del presidente del país más poderoso del mundo y su esposa. Los dos nos vieron sorprendidos y hasta se rieron. Fue en ese momento cuando me atreví a preguntarle a la primera dama:

—*How is John John?* —dije refiriéndome a su pequeño hijo.

—*He's like a circus man* —me contestó con una sonrisa de oreja a oreja, al tiempo que hacía con sus brazos como los luchadores de circo. Me cayó tan bien, se me hizo sencilla y con sentido del humor. Qué diferencia con la señora López Mateos, que al descubrirnos a Carmen y a mí, todas acaloradas y medio despeinadas por el esfuerzo para llegar hasta la cena oficial, nos echó una mirada como diciéndonos: «Ay, niñas, pero qué inoportunas y mal educadas son. ¿Quién las invitó? ¿Que no se dan cuenta de que se trata de un acto oficial?»

Después de leer la carta de Carmen pensé con coraje que nadie de mi familia me había escrito, y que tampoco Paulina había recibido carta de casa. Para mí que están sucediendo cosas muy extrañas de las que no quieren que nos enteremos. En realidad no me debería de preocupar, en mi casa pasa algo todos los días. «Nadie puede contra lo imprevisible», dice mi mamá como para justificar el caos en el que vivimos. Desde que me acuerdo, nunca he visto a mis papás relajados, platicando muy a gusto entre sí o con sus hijos; siempre tiene que haber drama, gritos, reclamos y quejas. A lo mejor son así todas las familias mexicanas, un poco como en las películas, tipo *Nosotros los pobres* o *Cuando los hijos se van*. Mi mamá me recuerda a Mimí Derba, que siempre sale en su papel de señora burguesa, o a Sara García, que invariablemente hace de mujer sufrida pero eso sí, muy fuerte y luchona. Mi papá sería más bien como del tipo de Emilio Tuero, con sus ojos románticos, y muy educado. Con los kilos que he aumentado, yo sería como Chachita y mi novio sería Freddy Fernández. ¿Será por todos estos parecidos que a veces siento que vivo dentro de una película de la Época de Oro del cine mexicano? ¿Será por eso que me gustan tanto? Entre más trágicas, más las disfruto y más sufro, es más, las extraño.

Hablando de cine, el otro día Mercedes y yo fuimos a ver una película de Kubrick que me impresionó muchísimo y que se estrenó el año pasado: *Lolita*. Sabía que era el libro preferido de mi papá, pero jamás me imaginé la historia. Lo peor de todo es que de alguna manera me identifiqué con Lolita, por coqueta e inconsciente, y a su mamá, loca y excitada, la relacioné con Paulina. El actor, James Mason, me encantó. Yo también me habría ido con el profesor Humbert, aunque hubiera tenido catorce años. Lo que más me afectó fue el final de Lolita, casada con un granjero pobrísimo, con un bebé y un resentimiento terrible hacia su padrastro y su madre egoísta.

Saliendo del cine, Mercedes y yo fuimos a una *drugstore* a tomar un *milkshake*. De las dos, la más impresionada por la película era mi amiga: estaba pálida y temblaba. No podía hablar por el nudo en la garganta. De una cajetilla de cigarros cubanos, sacaba uno e inmediatamente otro, sin dejar de fumar.

—Cálmate, Mercedes, la historia no sucedió en la vida real, es una novela. ¡Puritita ficción!

—Oye, chica, es que esas cosas pasan en la vida real.

—¡Qué horror! Tienes razón. Pero eso sucede entre la gente de *very low class*.

—¡A otro perro con ese hueso! Te digo, Sofía, que esas cosas sí pasan.

—*Okey,* pero no te enojes. A mí también me impresionó mucho la película.

—¡Coño, Sofía! Que a mí me pasó algo como lo de la película...

—¡Híjole!

—Pero... con mi papá.

—¡¡¡Híjooooooooooole!!!

—Empezó cuando yo era una niña, y se lo decía a mi mamá, pero no me creía. Cuando se enteró de verdad fue cuando nos dejó.

—¿Y por qué no te llevó con ella?

—Es que se volvió a casar.

¡No lo podía creer! Es cierto, esas cosas pasan. Después de que me contó lo que me contó, la abracé y le dije que ahora que me había compartido su secreto seríamos *best friends* hasta morir. Yo también le conté que no era feliz viviendo con mi hermana; le dije que sentía que mi mamá no me quería y que en el fondo estaba muy sola. Le conté que no entendía por qué mi hermana tenía un abrigo de pelo de camello que había venido de Israel y que usara unas botas negras de gamuza mientras yo seguía con una gabardina forrada de peluche. Le conté que me habían corrido del colegio, que no teníamos dinero, y por último, que Lety no era mi hermanita sino que era mi sobrina. Todo esto se lo dije como para consolarla un poquito. Cuando fuimos a la parada del autobús, las dos acabamos muertas de la risa por las tres *milkshakes* que nos habíamos tomado para aliviarnos de tanta amargura.

Al llegar a mi casa me encontré a Paulina hablando por teléfono con su amigo Paco. No sé por qué se echaba tantas carcajadas: no dejaba de reírse, y no podía decirle que me dolía horrible el estómago. Tenía unas náuseas terribles y ganas de vomitar. Tuve que correr al baño (aunque eran nada más tres pasos) y vomité las tres bolsas de palomitas que había comido en el cine, las tres malteadas y las tres galletas con chispas de chocolate. En realidad estaba vomitando todos mis secretos.

Al otro día le llevé a mi amiga Mercedes una estampita de la Virgen de Guadalupe que me había regalado mi hermana Inés, y le dije que era muy milagrosa, que podía pedirle lo que quisiera porque a mí me había hecho muchos milagros. Ahora, cada vez que veo a Mercedes sentada en su papelera, no puedo dejar de preguntarme si su papá la sigue fastidiando.

10

Hoy es mi cumpleaños; me siento vieja, cumplo dieciséis. «Muchas felicidades», me dice mi hermana al despertar. Lo que no me esperaba era el regalo que me tenía, unos guantes de *cashmere* color azul marino. ¡Están preciosos! Le han de haber costado una fortuna. Me quedaron justitos. Estos sí calientan, qué diferencia con los que traía.

—Te invito a cenar al restaurante Le Paris, muy cerquita de Sherbrooke Street.

—¿De veras?

—Claro, ahí voy muy seguido con mis amigos, sirven una muy buena *soupe à l'oignon à la française*.

Era la primera vez que mi hermana me invitaba a un restaurante tan elegante.

En la clase no le quise decir a nadie que es mi cumpleaños, pero temo que se me vea la cara de moño. Tener dieciséis años no es poca cosa. No sé por qué pienso que desde que llegué a Montreal ya maduré.

A la única que le dije fue a Mercedes: tan linda, me regaló un libro de poemas de José Martí.

Las matemáticas son aburridísimas. Comienzo a escribir en mi cuaderno una carta para Carmen. De pronto, se me acerca *mother* Saint Maureen: me asusto, juro que me va a llamar la atención, pero me dice: «*You have a call from Mexico City*».

Me levanto como de rayo y salgo corriendo hacia la cabina de teléfono que se encuentra muy cerca de la Dirección. En el camino pienso mil cosas, desde que puede ser una muy mala noticia, hasta en una llamada amorosa de Rafael. Estoy emocionadísima. Llego a la cabina:

—¿Bueno?

—Mijita, muchas felicidades.

—¡Ay, papito, qué bueno que te acordaste de mi cumpleaños! Muchas gracias. ¿Cómo están?

—Muy bien, mijita. Aquí te extrañamos mucho.

—¿Por qué no me escriben?

—Ya te escribiremos. ¿Cómo te has sentido?

—Bien, papá, ya ves cómo es Paulina… pero hoy me invitó a cenar.

—Qué bueno, mijita, tenle paciencia. Bueno, Sofía, te dejo porque sale muy cara la larga distancia.

—Oye, papá, ¿cómo está Lety?

—Gordita…

—Dale muchos besos a todo mundo. Gracias por llamarme, te quiero mucho.

No fue sino hasta cuando colgué que me di cuenta de que estaba llorando. Pienso que voy a recordar esta llamada por muchos años, porque mi papá no es nada de este estilo. Al contrario, odia todo lo que es sentimentalismo, le parece cursi. Me limpio las lágrimas, voy al salón, en el camino pienso que aunque mi familia sea un relajo, la extraño muchísimo porque finalmente es una familia de a deveras, no *fake*. Es una familia no de película sino de teatro, es decir, una familia como seguramente hay muchas por todo el mundo; con sus problemas, su humor, sus contradicciones, pero sobre todo con sus frustraciones. Llego a la clase con una enorme sonrisa en los labios, estoy muy orgullosa de ser hija de mi papá.

—*It was my father, because today is my birthday.*

—*Oh, Sophie! Congratulations! Girls, girls! It's Sophie's birthday!*

Todas mis compañeras aplauden, siento que mis mejillas están hirviendo de tanto sonreír.

El resto de la mañana me lo paso muy nostálgica, hasta extraño el pastel de Sanborns, me encanta con su betún lleno de flores de azúcar, con caras de conejitos y sus guirnaldas de todos los colores. Desde que tengo uso de razón, mi mamá nos festejaba nuestros cumpleaños con pastel de Sanborns.

Estamos mi hermana y yo en el restaurante Le Paris. Observo a mi alrededor y veo muchos cuadros con fotografías del Arco del Triunfo, la Torre Eiffel, la Concorde y Notre-Dame, seguramente comprados por el dueño del restaurante cerca de Montmartre. Los meseros visten camisa blanca y delantal negro hasta los tobillos, como los meseros parisinos. Los manteles son rojos y los asientos de piel color guinda. El restaurante se encuentra lleno; dice Paulina que muchos son periodistas y personajes de la radio y la televisión, acompañados por sus esposas que llevan sacos de *mink* y uno que otro abrigo que llega hasta el suelo. Traigo puesto un suéter negro de cuello en V, mi falda escocesa y mis mallas verde botella. Como ya me creció el pelo, aunque no está muy emparejado, me lo peino con dos peinetas de carey. No me veo mal. Por fin, desde la foto del pasaporte, siento que ya no me parezco tanto a Sonia López.

—*Mesdemoiselles, qu'est-ce que vous desirez boire?* —pregunta el mesero con un fuerte acento español.

—*Un whiskey, s'il vous plaît, et pour mademoiselle une Coca.*

No me gusta que mi hermana fume tanto y beba, se pone entre sentimental y agresiva. Pero esta noche es especial, no digo nada. Tampoco le comento que mi papá me llamó para felicitarme: le hubiera dado mucha envidia. Paulina comenzó con sus tres temas de conversación preferidos: el primero, mi mamá. Empezó a quejarse —entre fumada y fumada de sus cigarros Rothmans— de que siempre había sido muy injusta con ella, que la comparaba mucho con mis otras hermanas, que a ella la criticaba todo el tiempo, que muchas veces le dijo que era la más fea de todas.

—Y ya ves qué guapa salí en el periódico *Novedades*, en la sección «Ensalada Popoff» de Agustín Barrios Gómez, al lado de Beatriz Sánchez Navarro y Fernanda Quijano, junto al dibujo de Carreño. ¡No es por nada, pero ahí me veo con una clase! Con mi collar de perlas de tres hilos y mi pelo que se veía divino.

Cuando llegó nuestra *soupe à l'oignon* pasó a su segundo tema: mi papá. Que cómo pudo casarse con una mujer como mi mamá, él, que es tan inteligente, tan tierno, tan sabio. Que en el fondo ella sabía que era su consentida, porque sabía lo injusta que era mi mamá. Que le daba mucho coraje cómo lo trataba mi mamá, que todo el mundo lo recuerda mucho en las oficinas de la ICAO y que dicen que fue uno de los mejores embajadores de México ante este organismo. Que hasta le dijo Sonny Idelson, en su mal español: «Tu padre es un santo».

Llega el mesero con nuestra comida. A ella le traen su *boeuf Bourguignon*, y a mí un platillo enorme.

—*Voilá mademoiselle*. Su filete Angus finamente molido, jugoso, perfectamente condimentado con mostaza francesa, cebolla y pepinillos, acompañado de patatas a la juliana, doradas al aceite fresco. *Bon appétit*.

El platillo se ve delicioso. Sin embargo, Paulina pone cara de «No quiero pensar en cuánto me saldrá esta cenita». Su tercer *whiskey* coincide con su tercer tema predilecto: mis hermanas. Que estaban locas de salir con esos niños bien que ni de chiste se iban a casar con ellas, que quién sabe qué se estaban creyendo, que si les daban demasiados dolores de cabeza a mis papás, que si el colegio donde estuvieron en Francia era para hijas de campesinos, que qué diferencia de donde habían ido ella, Inés y Amparo, al Cours Dupanloup, un colegio exclusivamente para niñas bien parisinas. Por último, me volvió a recordar, no sé por qué, que Lety no era nuestra hermana sino nuestra sobrina.

Vino el mesero español y nos preguntó qué queríamos de postre.

—¿Ha terminado la señorita?

—Sí —contesto tímidamente.

—¿Cómo? Nada más te comiste las papas fritas —exclamó mi hermana.

—Es que no me gustó tanto, Paulina.

—¿Entonces por qué no mejor fuimos a comer una hamburguesa?

—Paulina, no te enojes, por favor.

—¿*Mesdemoiselles*, queréis ordenar un postre? —preguntó el mesero, apenado de verme tan abrumada.

No sabía si pedir un postre, pensando que todo podría salir muy caro, hasta que ella me dijo en un tono impaciente:

—¡Pídelo!

—Bueno, quiero unas islas flotantes, por favor.

Mi hermana pidió otro *whiskey*. Y otro, y otro. Estaba yo sufriendo, porque ya arrastraba un poco sus palabras. Tendrá un mal carácter, pero no puedo negar que, respecto a la familia, en muchos aspectos tiene razón. No acababa de hacer esta reflexión cuando llega la cuenta. ¡No, no, no! Nada más de ver su cara me imagino que ha de ser un cuentón; quiero desaparecer. Espero que no me vaya a pasar, tal cual, la cuenta de esta cena durante mucho tiempo. En vez de eso, saca su tarjeta de crédito Carte Blanche con toda la elegancia del mundo y la entrega con la cuenta.

—Gracias, Paulina.

No me contesta, pero siento que en el fondo está complacida de haberme invitado a cenar al restaurante de moda y del que todo el mundo habla. Afuera hace un frío horrible; ahora sí, siento mi gabardina verde extremadamente ligera. De reojo veo que mi hermana trae puesto su maravilloso abrigo de pelo de camello, el cual sujeta con un cinturón grueso de la misma tela. Como mi mamá, camina muy rápido, con sus botas de gamuza negra, y mira fijamente el piso. No hablamos. Se ve que también ella tiene mucho frío. Caminamos por la rue Sainte-Catherine hacia la rue Saint Mathieu. Las dos respiramos fuerte. Yo traigo puestos mis guantes azul marino, no obstante, tengo las manos en las bolsas; siento frío. Damos vuelta a la izquierda en la rue Saint Mathieu, dos cuadras después llegamos a Sherbrooke.

—Paulina, ¿tú crees que me puedas comprar un abrigo?

—Ya veremos, porque me salió carísima la cena.

—*Okey*.

Damos la vuelta hacia la rue Simpson, y finalmente llegamos a Avenue Mcgregor. Esta noche no puedo dormir pensando en la llamada de mi papá, y además, porque a mi hermana le truenan los dientes como nunca.

Hoy no fui al colegio porque tengo una gripa terrible, me siento fatal. Nariz tapada, un poco de fiebre, sudores. Todo por la nevada que cayó en Montreal. Cuando por mi ventana vi caer nieve por primera vez en mi vida, di un brinco a la azotea para recibir con los brazos abiertos millones de copos que no dejaban de caer. Me sentía Gene Kelly en la película *Cantando bajo la lluvia*, cuando canta y baila en medio de un aguacero; estaba feliz. No lo podía creer. La azotea y los techos de los edificios de al lado estaban todos nevados, se hubiera dicho que la mano de un gigante los había cubierto con una enorme sábana. La luz de la tarde era color ámbar y había un silencio como el que se respira en las viejas iglesias. Era una escenografía maravillosa, perfecta, como la película *Blanca Navidad*, donde Bing Crosby canta:

> *I am dreaming of a White Christmas*
> *just like the ones I used to know,*
> *where the treetops glisten*
> *and children listen*
> *to hear sleigh bells in the snow.*

Daba yo vueltas y más vueltas, de lo más romántica, cuando me di cuenta de que nada más llevaba mi blusa de algodón de florecitas y mi falda tableada azul marino.

—*Oh, my God!* —exclamé muerta de frío.

Por la misma ventana por la que había salido, me regresé al departamento. Cuando puse el primer pie sobre el colchón, me di cuenta de que la había dejado abierta y que la cama estaba toda cubierta de nieve: traté de secarla con una toalla. *Too late,* ya estaba mojadísima. Cambié las sábanas rápidamente (puse las de la semana pasada, que no había llevado a la lavandería) y puse al revés el edredón y las dos cobijas con las que nos tapamos mi hermana y yo; no fue sino hasta ese momento cuando me di cuenta de que mi blusa y falda estaban empapadas.

Voy rápido al baño, abro la llave del agua caliente, me desvisto en un dos por tres y me meto en la regadera. ¡Qué delicia el agua calientita! La dejo correr por todo mi cuerpo y siento que me relaja. Aprovecho el regaderazo y me lavo el pelo. Mi cabeza se cubre de espuma; tengo un turbante blanco y soy la Reina de las Nieves. «¡Quiero que caiga mucha nieve en las calles de Nazas para que Lety haga un enorme muñeco! ¡Que le ponga una zanahoria como nariz, un sombrero viejo de mi papá grande y una bufanda!», ordeno en mi imaginación al Polo Norte.

¡Qué boba soy! Es que estoy contenta porque ya pronto será Navidad, y no hay mejor manera de celebrarla que viviendo en un país como Canadá. Muy pronto mandaré a México las típicas tarjetas con Santa Claus tratando de entrar en la chimenea, o junto con Rudolph, su reno de nariz roja. Muy pronto voy a aprender a patinar sobre hielo y un maestro me enseñará a dar vueltas como trompo en una sola pierna, y más pronto me subiré en un trineo para deslizarme desde muy arriba.

—¡Ya llegué! —grita mi hermana desde la puerta.

—Me estoy bañando —le respondo.

—¿Qué pasó aquí?

—No te oigo, ya voy a salir.

Qué tonta soy, no me di cuenta de que el suelo también se había mojado con la nieve. «¿Pues cuánto tiempo estuve bailando en la azotea?», me pregunto a la vez que me seco el pelo con una toalla. Me la pongo como turbante, como los que usaba Carmen Miranda cuando cantaba el *Tico Tico*. Me enredo en una toalla grande y me le aparezco a mi hermana.

—¿Por qué está todo mojado?

—¿Tú no dejaste abierta la ventana? Porque yo acabo de llegar y luego luego me metí al baño.

—¿Estás loca? ¿Cómo voy a dejar la ventana abierta? Tú fuiste la última en salir.

—No sé qué pasó, pero ahorita lo seco con un trapeador.

En la noche estaba ardiendo en calentura. Ni modo, mi hermana tuvo que ir a comprar mis medicinas bajo una tormenta de nieve. Estoy tomando muchas cafiaspirinas y tengo una enorme capa de Vick Vaporub sobre el pecho, cubierta por otra capa de algodón; así nos curaba mi mamá. Parezco enferma del siglo XIX, estoy segura de que ya nadie usa estos remedios. Aprovechando que mi hermana está en la oficina, decido escribirle una carta a mi papá:

Querido papito:

Antes que nada quiero agradecerte tu maravilloso gesto de haberme llamado por teléfono por mi cumpleaños. En el momento en que me avisó mother *Saint Maureen que tenía una llamada, me encontraba en una clase aburridísima de matemáticas, me salvaste. Si hubiera sido una clase de literatura, habría sido distinto. Nunca me aburro en ese curso porque tengo mucho interés en la materia, y además porque sé que tú eres un gran amante de los libros. Por eso en tu biblioteca, tu lugar sagrado, conviven tantos autores, historias y tantos géneros. Sé que tus preferidos son el Siglo de Oro de España y los escritores rusos. ¿Qué estás leyendo en estos momentos?*

¿Qué película crees que fui a ver el otro día, papá? Lolita. *La heroína de tu novela preferida. Las actuaciones de Sue Lyon y de James Mason son maravillosas. Me pregunto qué tan semejante es esta película a la novela de Nabokov. No sé cuándo llegue a México, pero espero que la veas pronto para que me des tu opinión.*

¿Qué crees, papá? Estoy enferma. Tengo mucha gripa y un poco de calentura, por eso me que-

dé en cama. Lo que sucedió fue que cuando cayó la primera nevada, la recibí con tal entusiasmo que al salir a la azotea no me cubrí. Paulina, de lo más linda, me fue a comprar mis medicinas; últimamente nos llevamos muy bien.

También me llevo muy bien con mother Saint Maureen, es de verdad mi confidente y muy atenta conmigo. Ya me he hecho de algunas amigas en la Saint Paul's Academy. Me encanta Montreal, papá; me imagino que tú has de haber sido muy feliz en esta ciudad cuando trabajaste en la ICAO. El otro día fui a comer a casa de los Idelson y me recibieron con mucho cariño. Sus hijas, Angela y Dickie, son monísimas, muy bien educadas y muy estudiosas. Sonny preguntó mucho por ti, y Bella por mi mamá. Con los que todavía no me he puesto en contacto es con los Besso, sé que son muy amigos tuyos. Ya les llamaré para ir a verlos.

Mi amiga Patricia de Wilden me invitó a un partido de hockey en el colegio de su novio. Yo no sabía que este deporte existe desde finales del siglo XIX, y menos que los estudiantes de McGill del siglo pasado redactaron el primer reglamento. Me gustó el juego, pero también me aburrió. Comprendo, sin embargo, que puede despertar pasiones como el futbol, especialmente en Canadá, ya que es el deporte nacional. Los jugadores se ven muy imponentes con su uniforme, sus hombreras y sus rodilleras. Patinan maravillosamente bien pero eso sí, son un poco violentos entre sí. El novio de mi amiga se ponía muy nervioso por mis comentarios durante el partido, llegó un momento en que me pidió guardar silencio. Me cayó gordo. Después del partido, nos fuimos a caminar al parque que está cerca de la casa. ¡¡¡Hacía un frío!!! ¿Te acuerdas cuando vivías aquí cómo se te congelaban las orejas? Pues a mí se me congela la punta de la nariz, siento que se me va a caer.

Bueno, papito lindo, te dejo porque te confieso que no me siento tan bien. Quiero decirte que desde que llegué a Montreal pienso en ti todos los días. Me acuerdo de cuando era niña y tenía como cuatro años y vivíamos en Ridgewood Apartments, cada vez que llegabas a la casa me decías que tenías una sorpresa en la bolsa de tu saco: eran unos Life Savers de todos sabores y yo me ponía feliz, aunque de todas las pastillas nada más me comía las rojas. Ahora compro las mismas, pero de butterscotch.

Espero que mi mamá siga sus cursos en el IFAL y que obtenga muchos dieces en los exámenes de la Sorbonne que son revisados en París. ¿Cómo está Lety? No sabes cómo la extraño, me gustó mucho el dibujo que me mandaste de su parte. Cuando regrese a México, pienso ocuparme todavía más de mi hermana Leticia.
Te mando muchos besos.

Tu hija, que tanto te quiere,

SOFÍA

P. S.: No me cansaré de agradecerles a ti y a mi mamá por el sacrificio que han hecho para enviarme a Montreal.

Pasan los días y los días, y yo sin recibir una carta de México. No puedo creer que Rafael no me conteste. O me escribió y no me entregó su carta el *janitor*, o de plano ya me olvidó. Todos los días me pregunto si debería volver a escribirle, no vaya a pensar que soy la típica rogona. ¿Se habrá decepcionado de mí después del beso del estacionamiento? A la mejor no sé besar y perdió todo interés. Tal vez lo asusté. O su mamá le dijo cosas desagradables de mi mamá.

La otra tarde, saliendo de Saint Paul's, fui con Mercedes a comprar unos discos y me compré el último álbum de Los Beatles. Mi hermana no tiene tocadiscos, pero Barbara sí: lo que hago es pedirle que me deje la llave de su departamento para escucharlo cuando ella está en el hospital. Todas las tardes escucho mi canción preferida, lo cual es una manera de gritarle a Rafael desde Avenue Mcgregor que por favor me escriba:

> *Mister postman look and see*
> *is there a letter in your bag for me*
> *I been waiting a long long time*
> *since I heard from that girl of mine.*

Así me gustaría cantarle al cartero para que, por favor, revise su bolsa para ver si hay una carta para mí, porque llevo esperando mucho mucho tiempo.

11

Paulina habló con mi papá la semana pasada y nos enteramos de que Inés está esperando un bebé. ¡Qué maravilla! Me da mucho gusto por ella. Ojalá que sean gemelos. Inés siempre ha sido como mi mamá buena. Siempre me ha escuchado, me ha aconsejado y animado cuando tengo pleitos, ya sea con mis otras hermanas o con mis papás. Es, sin duda, la más inteligente de toda la familia. Dice mi mamá que es la más juiciosa y sensata, pero muy parecida a la familia Garay, lo cual le irrita profundamente.

Inés es también la más simpática y curiosa. Todo le llama la atención, por eso se pasa los días leyendo. Sus héroes son Simone de Beauvoir y Jean-Paul Sartre. De hecho, fue ella quien me inició en la lectura. Gracias a Inés leí *Memorias de una joven formal*, de Beauvoir, y me encantó. Lo padre con mi hermana es que le puedo contar todo y no juzga, no califica ni critica. Al contrario, se interesa por mí y por mis fantasmas.

Cuando estaba en México, nada me divertía más que ir con ella en la camioneta de mi papá a cargar gasolina con los cupones que recibía de la Secretaría de Comunicaciones y Transportes. De camino hacia avenida Xola, en cada alto, Inés y yo observábamos a los peatones o a los que esperaban su camión. Mi hermana imaginaba las aventuras más increíbles de sus vidas. Desde entonces yo hago lo mismo cuando voy a un restaurante, cuando veo a mis compañeras del colegio o cuando entro a un elevador. Persona que veo, persona que me inspira una nueva historia.

Cuando Inés era niña y estudiaba en el internado en Francia, me escribía muy seguido para contarme todo lo que les pasaba a Amparo y a Paulina; siempre estaba con el Jesús en la boca con las escapadas de una y con las metidas de pata de la otra. Guardo sus cartas como un gran tesoro. Me pregunto por qué no se volvió escritora. Escribe tan bien.

Todavía me acuerdo perfecto del noviazgo entre Inés y Juan Antonio. Mi hermana era secretaria del que se convertiría en su suegro, un abogado muy prestigioso. Mis papás eran tan estrictos con ella que le prohibieron subir al coche de Juan Antonio, y entonces ellos se venían caminando desde las oficinas en la calle de Dolores hasta mi casa. Juan Antonio es un abogado muy serio, inteligente, sobre todo muy romántico: por eso le gusta llevarle serenatas a mi hermana y cantarle él mismo *Historia de un amor* y *La malagueña*. Siempre le hace regalos muy lindos: chocolates de Lady Baltimore, joyas de La Perla, y muchos discos y libros de la Librería Francesa que está en Paseo de la Reforma. Con nosotros también es muy detallista. Todas las noches, cuando venía a visitar a mi hermana, me daba diez pesos para mi recreo. También nos llevaba juguetes y dulces de Larín. Le encantaba invitarnos, a Emilia y a mí, a comer hamburguesas a un restaurante que se llama Heaven, ahí nos dejaba pedir todas las hamburguesas y leches malteadas que quisiéramos. Lo más chistoso es que nos llevaba en la cajuela de su Chevrolet 1956, último modelo: era una de sus bromas, que a nosotras nos encantaba y a mi hermana la atormentaba mucho pues creía que sus hermanitas íbamos a morir asfixiadas. Cuando era su novio, cada vez que Juan Antonio venía a la casa se quedaba horas platicando con mis papás acerca de política, especialmente de la época de Miguel Alemán. También comentaban mucho sobre la historia de México. Y mientras ellos hablaban y hablaban, Inés tejía y tejía un chaleco de alpaca para él.

El día de su boda, meses después de que se casó Amparo, yo fui su dama de honor, junto con mi hermana Emilia, en la iglesia de San Agustín. Nos pusieron unos sombreros de paja y unos vestidos de encaje que mi mamá tiñó con té negro para que quedaran color beige. Fue una boda preciosa. Fueron muchos invitados importantes, exgobernadores, exsecretarios y hasta expresidentes. De luna de miel se fueron a Europa; al regresar, se instalaron en una casa muy bonita de Polanco. Estando ella recién casada, iba casi diario a visitarla en mi camión Juárez-Loreto. Imagino que van a tener un bebé muy bonito, porque los dos papás tienen unos ojos enormes. Inés los tiene azules y Juan Antonio cafés oscuros.

Querida Inés:

No puedo creer que ya vayas a ser mamá y yo tía por primera vez (segunda). Ojalá que me encuentre en México para cuando vayas a dar a luz. Ya te imagino tejiendo desesperadamente chambritas, zapatitos y gorritos. ¿Cómo has estado? ¿Has engordado mucho?

Ya sé que en estos momentos tú no puedes escribirme porque seguramente estás preparando el moisés, el cuarto y todo lo que tenga que ver con el bebé. ¿Por qué no me mandas una foto tuya toda panzona? Ya me imagino cómo te está consintiendo José Antonio y cuántos showers te van a organizar tus cuñadas.

¿Qué crees, Inés? Estoy leyendo una de tus novelas preferidas: East of Eden, *de John Steinbeck. ¿Te acuerdas que me dijiste que la película con James Dean también te había impresionado muchísimo? No sabes lo que me está gustando. Leer en inglés me ayuda mucho para progresar en este idioma.*

Inés, hay días en que a pesar de lo nevado de la ciudad, veo todo gris. No se da cuenta Paulina, pero

puede ser tan hiriente que de alguna manera me re-
cuerda a mi mamá.

Bueno, mi querida hermana, te dejo porque me
voy corriendo a la lavandería. Ahí te encargo mucho
a mi papá, a Lety y a las señoritas Vivanco (Aurora
y Ana), ja-ja-ja.

Te mando muchos besos y todo mi cariño.

Love,

SOFÍA

P. S.: Dice mother Saint Maureen que todavía se
acuerda de todas tus travesuras y lo buena que eras
para el colegio.

Nunca imaginé que me eligieran para integrarme al
coro. *Mother* Saint Maureen se encuentra entusias-
mada organizando las fiestas del colegio previas a la
Navidad. Desde hace ocho días asisto a los ensayos
para que estemos todas listas para el 15 de diciembre,
el día en que salimos de vacaciones. ¡*Silent Night* no
es un cántico tan fácil como parece! Claro que no la
canto solita, yo soy de las de atrás, pero tengo que ir
preparada.

Aparte del coro, preparamos en la escuela el mon-
taje de *El gigante egoísta*, de Oscar Wilde. Mis amigas
y yo nos disfrazamos de niños con cachuchas, bufan-
das y sacos de hombre que nos prestó *mother* Saint
Maureen. El día de la presentación de la obra, Paulina
no llegó: estaban todos los papás de mis amigas, y yo

sin nadie de mi familia. No me importó. Creo que me estoy haciendo dura de carácter, soy como el gigante al inicio del cuento.

Me dice Paulina que vamos a pasar *Christmas* con sus amigas españolas. La verdad es que me da un poco de flojera. También me invitó Barbara con sus amigos chinos. Aunque ahora sí siento un frío que me cala hasta los huesos, he desarrollado varias técnicas de supervivencia:

1. Mallas debajo de unos pantalones que me regaló mi hermana.
2. Mis botas de hule con tres pares de calcetines de lana.
3. Dos suéteres debajo de mi cuello de tortuga.
4. Falda escocesa sobre pantalones y mallas.
5. Mi saquito de la piyama debajo de un suéter de Chiconcuac.

Desde que vi una fotografía de Marilyn Monroe con uno igualito, ahora llevo el mío del *tingo al tango*. Todo el mundo me lo elogia. Tontamente, lo tenía guardado en la petaca y nunca me lo ponía. Lo malo es que todas estas técnicas hacen que me vea más gordita con tantas capas. Pero bien dice el refrán: «Ande yo caliente y ríase la gente».

Estoy dudando de qué regalarle a mi hermana por Navidad. Hay tardes que me voy a Eaton's o a Morgan's para ver qué se me ocurre. Me encanta cómo han decorado estas tiendas para la época, llenas de lucecitas, de adornos navideños, estrellas y esferas de todos colores. Los canadienses tienen un espíritu navideño muy desarrollado. Por solidaridad con Lety, subo al tercer piso, al departamento de Niños, para visitar a Santa Claus, el cual se ve igualito a los comerciales de Coca-Cola. Qué diferencia con los nuestros en Sears, que aparecen con su barba toda desalineada, unos hasta muy morenos, todos flaquitos, con su traje todo brillante por las planchadas de la tintorería. El Santa Claus de Canadá es gordo, chapeado y tiene el pelo blanco. Su traje rojo es impecable, su cinturón ancho de charol brilla mucho y sus botas negras le quedan a la perfección. Veo una larga fila de niños esperando a pasar para saludarlo, casi todos llevan una cartita en las manos. Vestidos con sus abrigos de lana, de terciopelo azul marino; sus gorritos bordeados de piel de conejo hacen juego con sus manguitos para que no se les enfríen las manos.

Al salir de la tienda me encuentro con tres señoras del Salvation Army vestidas con sus uniformes de tela gruesa y oscura, sus sombreritos con enorme listón. Tocan la campana mientras los niños a su lado cantan «*Jingle bells, jingle bells, jingle all the way*». Prácticamente todas las casas se hallan decoradas con lucecitas, algunas tienen hombres de nieve en su *yard* o bien un trineo tirado por Rudolph. Paso por algunas pistas de patinaje y veo a muchos jóvenes y niños patinando; se me antoja, pero todavía no aprendo. Vuelve a nevar.

A mi papá le choca esta época, le parece de lo más cursi. Y más se impacientaba cuando yo respondía el teléfono: «¡Casa del licenciado Garay, feliz Navidad!», o cuando saturaba la chimenea poniendo todas las tarjetas que recibíamos, muy paraditas y en fila. En mi casa los árboles de Navidad siempre eran pelones. Mi mamá compraba el más barato en el mercado de Lerma, nuestras esferas eran irregulares y nunca combinaban entre sí. Para hacerlo más bonito, yo le ponía mucho pelo de ángel, cubriendo los foquitos de colores para que dieran una luz misteriosa. Nuestro nacimiento también era horrible: un Jesús tan grande como un niño de dos años, una Virgen María minúscula, San José con la nariz mocha. La que sí sabía muy buena era la cena de Nochebuena. Mi mamá hacía un pavo delicioso rodeado de manzanas y castañas. Nos dábamos regalos muy modestos entre nosotros.

En una de esas épocas navideñas trabajé durante las vacaciones para la joyería Kent, que estaba en la calle de Madero. El dueño, el señor Portilla, me traía cortita. Tenía que llegar a las nueve en punto, sacudir la vitrina exterior y las vitrinas del interior. Entre más vendíamos, más alta era la comisión. La señorita González Roa, que llevaba años como vendedora en la joyería, me daba consejos: «Mira, niña, aquí todos los clientes hombres tienen casa chica, así que todo lo que les vendas tiene que ser doble; para la esposa y para la otra. Siempre acaban gastando más para la amante.

Si te pones muy lista, te puede ir muy bien con estas dobles ventas». Me puse lista y, en efecto, me fue muy bien de comisiones.

El 24 de diciembre, con mi primer salario y mi dinero extra, atravesé la calle, fui al Sanborns de Madero y ahí compré todos los regalos de la familia. A mi papá, un tarro de cerveza en porcelana con la cara de un duende; a mi mamá, un perfume Marcel Rochas; a mis hermanas, mascadas y aretes; a Emilia un joyerito y a Lety muchos chocolates. Eran casi las nueve cuando salí de Sanborns, tenía que llegar antes de las diez. Como me quedé sin un centavo tuve que regresarme a pie, con todas las bolsas en las manos atravesé la Alameda Central y fui por Reforma hasta Río Rhin.

Cuando llegué a la casa, mi mamá estaba muy alterada porque no habían ido por el pavo a Elizondo: cada año lleva el pavo a la panadería, porque es el único lugar que tiene un horno tan grande. Subí a mi cuarto y envolví cada regalo, tratando de personalizarlo con diferentes colores de papel de China. Fue la noche en que nos habló Amparo, mi hermana, diciéndonos que su marido le había pegado y que ya quería regresarse de Nueva York. «Aguántate, aguántate, aguántate», le gritaba mi mamá por el teléfono. Fue una Navidad triste, pero en el fondo yo estaba muy orgullosa de haber gastado todo mi sueldo en los regalos de la familia.

Al pensar todo esto, le dije a mi hermana que para ganar mi *pocket money* de este año quería ser *babysitter*.

Me respondió que era una pérdida de tiempo, que no iba a estudiar y que iba a acabar perdiendo a los niños en la nieve. Tal vez, para comprarle su regalo, termine pidiéndole dinero prestado a Mercedes. Pero me da pena.

Finalmente, la cena de Navidad en casa de las españolas no resultó tan mal. Todas terminamos medio *dizzies* de tanto ponche. Un amigo de Paulina, Irving Horowitz, vino al aperitivo, pero se fue muy pronto porque dijo que él no celebra esas fiestas. Era chistoso porque se me quedaba viendo mucho. La verdad es que sí me llamó la atención porque, aunque no es muy guapo, es muy varonil. Nuestra anfitriona puso un disco de *twist*, nos quitamos los zapatos y empezamos a bailar las cuatro: las dos españolas, mi hermana y yo, muertas de la risa. Me gustó el departamento de María Pilar. Casi no hay muebles, pero los pocos que tiene son muy bonitos. Un sofá forrado de tela escocesa, dos *puffs* blancos y un pequeño *secretaire* muy bonito. Su árbol de Navidad era precioso, lleno de luces y guirnaldas plateadas. La amiga de María Pilar nos contó su vida. Era divorciada, debido a su trabajo como aeromoza de Iberia había dejado a su hija con su mamá. Estaba enamorada de un piloto casado y lo único que quería en la vida era tener un hogar fijo. Cuando María Pilar empezó a platicarnos de su vida, pensé que se trataría de otro drama, pero fue todo lo contrario. Adoraba su trabajo, estaba feliz porque les mandaba dinero a sus papás en Barcelona, tenía un novio, aeromozo en KLM, que no se quería casar, y adoraba Montreal.

Cuando mi hermana Paulina empezó a hablar, hice como que se me caía la copa para distraer la atención; María Pilar tuvo que ir por un trapo a la cocina. Su amiga Alicia fue por el Electrolux para aspirar todos los vidrios.

Al final de la noche prendimos la televisión y vimos un programa de Dean Martin, Frank Sinatra y Sammy Davis. Acabamos las cuatro dormidas en el maravilloso sofá blanco.

Me dio mucho gusto que Sonny Idelson y su esposa, los amigos de mis papás, nos invitaran a pasar *New Year's Eve* a su casa. Aunque los judíos no celebran el Año Nuevo en esas fechas, los Idelson se han adaptado al calendario canadiense y agregaron una fecha nueva en su agenda de celebraciones. Por más que esperamos a Paulina, nunca llegó. No sabía cómo explicarles que seguramente se debía a un coctel en la ICAO. Bella me decía: «*Don't worry, Sofía. You are like our daughter. We love you very much*». Me quedé a dormir en el cuarto de Angie y de Dickie. Al otro día salimos a caminar, me subí a un trineo por primera vez, y después fuimos a comer unos deliciosos *pancakes*. Mientras desayunábamos, Sonny me dijo que mi mamá le había escrito para anunciarle que en tres semanas vendría a Montreal «*with my daughter Ana*», y que le pedía de favor que le prestara uno de los departamentos que rentaba. A Sonny le llamó mucho la atención que ni Paulina ni yo supiéramos la noticia.

De regreso a casa, cuando me bajé del coche, me di cuenta de que ya se le había caído la nariz de zanahoria a nuestro horrible hombre de nieve hecho por el estúpido *janitor* que, además, se parecía a él. Más que hombre de nieve parecía una plasta de puré de papa.

—¿Estás loca? —me preguntó mi hermana cuando le conté.

—Te lo juro. Me lo dijo Sonny.

—¿Pero para qué va a venir?

—No sé, pero no nos avisó.

—Aquí no vamos a caber.

—No se van a quedar con nosotras. Sonny les prestó un departamento.

—¡Otra imposición de mi mamá! Qué horror, siempre es así con la familia. Ya ni la amuela, al menos podría habernos avisado.

Desde que me enteré que mi mamá y Ana están por llegar, me hago más *ice cream soda* y como más chocolates que nunca. Desde que salí de México he engordado casi diez kilos. Aún no conocemos la fecha ni el motivo de su viaje. Como dice Paulina, la familia es un relajo. En un día pueden suceder las cosas más catastróficas del mundo. ¿Estarán huyendo del país? Pero ¿por qué? Ese mismo día Paulina trató de llamar a México, pero el teléfono estaba ocupado y ocupado y ocupado. ¡Híjole! Quién sabe qué pasó. La noticia le ha caído como bomba a mi hermana, está de pésimo humor y dice que antes de enfrentarse a cualquier problema, prefiere irse de vacaciones a Nueva York. Ya le dije a *mother* Saint Maureen que mi mamá va a venir, y me dijo:

—*I hope she will get you a coat.*

—*Sure!!!* —le digo sin saber siquiera cuándo llegan... el abrigo era lo de menos.

Me acabo de pelear horrible con mi hermana, me dijo que si yo no hubiera venido a Montreal, no estaría en los planes de mi mamá venir con Ana, que todo es mi culpa. Según ella, en las cartas que le he escrito a la familia me he quejado de ella y de sus amigos, soy una niña totalmente superficial que no entiende nada y no alcanzo a comprender el esfuerzo que hace para tenerme aquí. Me reprochó mi falta de madurez y me gritó: «¡Eres igualita a mi mamá! Siempre estás juzgando a los demás. Ya me imagino lo que has de haber escrito de mí en tus cartas. Que si te dejo sola, que si llego tardísimo, que si me voy con mis amigos, que fumo mucho, que nunca te doy dinero, que te exploto haciendo la limpieza. Lo que pasa es que en el fondo me tienes envidia por lo bien que hablo inglés y por lo desenvuelta que soy».

Lo que más me dolió fue cuando me echó en cara el haber ido al cine con Irving Horowitz:

—¿Que no sabes que estamos saliendo?

—*I beg you pardon?* De qué hablas, tiene veinte años.

—¿Y qué tiene?

—Paulina, pensé que eran nada más amigos.

—Qué hipócrita eres, estoy segura que sabías…

—¡¿Que sabía qué?! Con razón dice mamá que eres tan difícil, ya estoy cansada. Tengo la impresión de que nada te complace. Hasta pienso que ni te caigo bien.

—¿Cómo me puedes caer bien si aceptas salir con Irving sabiendo que sale conmigo?

Ahí sí que no pude con el levanta-falso. Jamás me imaginé que mi hermana e Irving salían. Cuando me lo presentó, no me mencionó nada, además no ha vuelto a hablar de él. Así es ella, se diría que siempre está ocultando algo. Cuando Irving y yo fuimos al cine, a ver la película *La calumnia* con Audrey Hepburn y Shirley MacLaine, de plano Irving se me echó encima, y yo de plano me dije: «*Why not?*», al fin que Rafael ni me había contestado. Entre su chamarra de *nylon* de plumas de ganso y mi gabardina verde, forrada de peluche, terminamos, por los abrazos y los besos, más acalorados que si hubiéramos estado en una playa en Acapulco. Parecíamos dos contrincantes de lucha libre. Él sí que sabe besar, él sí que sabe abrazar, él sí que lo hace, no nada más con ternura, sino también con pasión; y él sí que me hizo vibrar, como no lo había sentido antes. Me encantó. Ya ni me enteré del drama de la película entre las maestras y el rumor que les inventó una de sus alumnas de que eran medio lesbianas. Algún día me enteraré de cómo acaba. Estaba tan nerviosa que me dio un poco de miedo sentir tanto y querer más. Como dice mi mamá: «Esta niña es un volcán». Al otro día, Irving vino por mí a Saint Paul's y fuimos a tomar algo a un café padrísimo, muy de moda, que se llama La Paloma. Allí van muchos bohemios y *beatnicks* de pelo largo y barba, que no dejan de fumar y de beber café tras café. Muchos de ellos son tan pobres que no tienen ni un dólar y medio para pagarse la peluquería. Entre ellos, hablan de arte, política y literatura. También hay muchas niñas que fuman al mismo tiempo que mastican chicle. Dice Irving que a sus papás no les gusta nada que vayan a ese lugar, porque temen que les metan a sus hijas muchas ideas raras.

Nada de esto se lo conté a mi hermana Paulina porque no me inspira esa confianza, y porque he aprendido a guardar secretos. Ella seguramente tiene los suyos, los cuales jamás me comparte. ¿Por qué le contaría los míos? Pero lo que nunca me imaginé es que Irving saliera con las dos al mismo tiempo. Cómo hacerle entender que no sabía, si siempre está negando la realidad. La última vez que vi a Irving fue un domingo a la salida de misa en la catedral. Vino por mí y me llevó a su casa a comer, vive en Westmount. Se ve que su familia tiene mucho dinero. Su mamá, una mujer sumamente distinguida, y sus hermanas muy bonitas me recibieron de una forma muy simpática y natural. Cuando comíamos una sopa de betabel deliciosa, de pronto me sentí dentro del programa *Father knows best*, así de armonioso y perfecto me sentí en su familia. Cuando estaba en México, *Papá lo sabe todo* era mi programa favorito porque en el fondo deseaba ser hija de Jim Anderson (Robert Young) y de Margaret Anderson (Jane Wyatt). Al salir de la comida, ya daba por hecho que Irving era mi *boyfriend* y que «*we were going steady*». Incluso se lo conté a Mercedes: «Ya somos novios», le dije. Mi amiga estaba feliz por mí. Esa vez, Irving fue tan mono conmigo y actuó con tanta naturalidad, que jamás sospeché que en el fondo fuera un traidor. Yo creo que nos vio a las dos muy solas, cada una por su lado, y se aprovechó. ¿Cómo se enteró Paulina? La única persona que se lo pudo haber contado es Irving. ¿Por qué entonces no me preguntó? Entonces, sí sabía, y decidió no decir nada. Con razón últimamente mi hermana me habla tan feo, porque *deep down*, se siente culpable de no haberme prevenido de ese muchacho tan tramposo.

Después del pleito, salí a caminar al parque que está cerquita de la casa. Caminé y caminé, tristísima al decirme que ya no podría ver más a Irving, pero pensé que era mejor así. Finalmente, prefiero volver a ser hija de una mamá terrible que una hermana convertida en manzana de la discordia.

Las siguientes semanas, antes de que llegara mi mamá, mi hermana y yo vivíamos prácticamente en silencio. De vez en cuando, se me quedaba mirando de una manera tan extraña que prefería evitarla.

Finalmente, mi mamá nos mandó un telegrama que decía: «Llegamos Ana y yo el miércoles 20 de febrero. Vuelo Canadian Pacific. Aterriza 5 de la tarde».

12

Nunca vi a mi mamá tan cansada, tan desmejorada y tan envejecida como cuando la recibí en el aeropuerto. Tampoco le había visto tantas canas, su cabeza se veía aún más pequeña debido al cabello corto y al enorme abrigo de piel que traía. En cambio, Ana lucía rozagante con un abrigo color beige que le había prestado mi hermana Inés. Me dio mucho gusto verlas a las dos, las abracé y no dejaba de decirles que Sonny y Bella estaban felices de recibirlas. Llegaron con una petaca enorme.

—¿Por qué no tienes un abrigo de invierno? —fue lo primero que me preguntó mi mamá.

—Esta es una gabardina mágica. Me calienta como si llevara uno de pelo de camello.

No le caí nada en gracia. Después me preguntó por Paulina, le dije que ella nos llamaría más tarde, que tenía mucho trabajo.

Tomamos un taxi y nos fuimos a casa de los Idelson. Durante el trayecto, mi mamá se vino quejando de la falta de dinero, de que si mi papá cada día estaba más difícil, que si Lety había engordado muchísimo, que si Walter C. Buchanan (secretario de Comunicaciones y Transportes) no le había dado cita a mi papá, que si Toño se había sacado 9.8 de promedio y que por eso sus amigos eran unos buenos mulas, y que si Paulina era una idiota por no haber venido al aeropuerto. En el coche, Ana no habló para nada.

Nada más llegar a casa de los Idelson, mi mamá pidió un café con leche porque tenía mucho frío y una cucharada de bicarbonato pues Ana la había hecho pasar muchos corajes en el avión y tenía la bilis derramada.

—*Je voudrais, s'il vous plaît, un café au lait et une petite cuillère de bicarbonate de soude.*

Se lo dijo en francés, idioma que Sonny y Bella entienden perfectamente bien; aun así no dejaban de sonreír frente a ese personaje tan insólito que es mi madre. Ana siguió sin abrir la boca, quién sabe qué le pasa. Después de cenar un delicioso *roast beef* y papas a la francesa, Sonny nos llevó al que sería el departamento de mi mamá y mi hermana. Estaba lejísimos, en lo que será la nueva zona residencial de Montreal. Cuando me llevaron de vuelta a Avenue Mcgregor, Paulina no había llegado.

Al otro día se presentaron mi mamá y mi hermana a las ocho de la mañana en el departamento. Como de costumbre, mi mamá tocó la puerta como si se estuviera incendiando el edificio. Paulina les abrió en camisón, furiosa.

—¡Esta idiota perdió su pasaporte en el taxi! —se quejó mi mamá de Ana.

—No grites, mamá, se puede sacar otro —decía Paulina, muy impaciente.

—Pero no es posible que no sea responsable de sus actos. ¿Ahora qué vamos a hacer?

—Hay que llamar al consulado y reportarlo perdido. A lo mejor se lo robaron, porque aquí hay mucha inmigración.

—Es una estúpida. Esta ya nada más me trae problemas.

Desayunamos de mal modo. Ana callada, con cara de culpable por lo del pasaporte; Paulina, exaltada; mi mamá, como de costumbre. Yo trataba de calmar la situación y les hice unos *pancakes* con tocino que me quedaron horribles por la presión. Lo único bueno fue el jugo de naranja de botella.

Mientras mi mamá hablaba por teléfono, intentando conseguir al cónsul de México en Montreal, me bañé y me vestí.

—Vámonos, niñas. Nos va a recibir el cónsul.

Ya no me pude poner mis capas para abrigarme mejor, teníamos demasiada prisa; nada más alcancé el *turtleneck*, mi bufanda, mi boina y la gabardina.

Estamos mi mamá, mi hermana Ana y yo en el elevador del edificio. Baja muy lentamente. Calculo la totalidad de la suma de los kilos que puede soportar este aparato de los años cuarenta.

—No se vaya a parar esta cosa —dice mi mamá—. Con una niña esperando, ¿qué haríamos?

—¿De qué hablas? ¿Una niña esperando?

—¿Que no te has dado cuenta, idiota? Ana está esperando un hijo de ese muchacho irresponsable.

—¿Cómo?

—¿A poco no sabías? —pregunta Ana con una sonrisa medio misteriosa en los labios.

—Ana, desde que estoy aquí nunca recibí una carta de la casa. ¿Cómo iba a saber?

—Ay, Sofía, eres una idiota. ¿Que no ves a tu hermana más gorda? Ya tiene seis meses.

Ahora la que no hablaba era yo. Se abrieron las puertas del elevador, mi mamá y mi hermana salieron y yo me quedé paralizada. Mis botas de hule parecían pegadas al piso del elevador. Qué bruta soy. ¿Cómo es posible que no me hubiera dado cuenta desde que llegaron? Con razón vi a mi hermana tan cachetona. Fui tan ingenua que hasta pensé que había venido a Montreal a comprarse ropa porque nos iban a anunciar su boda. Qué bueno que no le pregunté. No es posible que suceda en la familia otro caso igualito al de Amparo. ¡Las dos se comieron la torta antes del recreo! ¿Qué les pasa a mis hermanas? ¿Será un problema de temperamento? ¿Seré yo la siguiente?

No me atreví a preguntarle a Ana si seguía con Lino. Aunque él no me caía nada bien, ella era una novia feliz. Me acuerdo que una noche le abrí la puerta porque venía por mi hermana para ir a una fiesta. Lino llevaba un esmoquin, y no sé por qué, pero pensé que era igualito a Benito Juárez: el mismo peinado, el mismo color de tez y la misma expresión formal. Pero mi hermana hablaba todo el día de él, ponía los discos de Agustín Lara y Toña la Negra porque eran los cantantes preferidos de su novio. Le escribía unas cartas larguísimas de amor. ¡Claro, ahora entiendo por qué mi mamá y Ana vinieron a Canadá! Para ocultar las apariencias y que nadie la viera panzona. No me quiero ni imaginar el escándalo social que provocará este nacimiento en el grupo de los amigos de mis hermanas. Yo no sé si Paulina ya se dio cuenta. Me imagino que sí, pero ha sido tan egoísta que ni las ha visto. Sonny y Bella Idelson lo saben, por eso les prestaron el departamento. ¡Qué buenas personas son! Aunque ellos también han de estar intrigados de por qué hace mi mamá todo esto. Si no tienen dinero mis papás, ¿por qué gastar en boletos de avión y venir hasta Canadá en pleno invierno? Si querían desaparecer durante los últimos meses del embarazo de mi hermana, ¿por qué no se encerraron mamá e hija en el convento de Tlalpan? Como dice mi papá, mi mamá nunca va a cambiar.

—Ay, señor cónsul, muchas gracias por recibirnos. ¡Qué cree! Que esta estúpida perdió su pasaporte en un taxi. ¿Qué hacemos?

—No se preocupe, señora. Primero hay que avisar a Relaciones Exteriores de México la pérdida del documento; después, se lo reponemos en cuanto nos autoricen. ¿Cuánto tiempo se quedarán ustedes en Canadá?

—Pues mire, señor cónsul, no más de un mes.

—Permítame ver qué podemos hacer en ese lapso. Déjeme su número y nosotros le avisamos.

—Cónsul, por caridad de Dios, se lo encargo mucho, porque esta niña tiene que regresar a trabajar a México. Oiga, seré curiosa, ¿usted no es nada de los Fernández Valles de Guadalajara?

—No, señora, yo soy de Río Verde, San Luis Potosí.

—Ah, no, de ahí no conozco a nadie.

Salimos del consulado. En la calle hace muchísimo frío. Caminamos una cuadra y decidimos entrar a un café. Yo sigo bajo el *shock*, no me atrevo a preguntar nada sobre Lino y Ana.

—Señorita, tráigame un café por favor —le dice mi mamá a la mesera en español.

—*I would like a cup of tea, please* —pide mi hermana en un inglés perfecto.

Como a mí no me dio tiempo de desayunar, pido una dona y *hot chocolate*.

—¿Cómo es posible que hayas perdido tu pasaporte? Lo hiciste adrede, ¿verdad? Pero no te olvides que todo se paga en la vida, y tus actos te perseguirán hasta el final.

Mi mamá empieza a llorar. No como las señoras mexicanas cuando enfrentan un drama, es decir, jalándose los pelos y aullando: a ella nada más le salen unas lágrimas como las de Marga López, que se seca muy discretamente con los dedos de las manos.

—Aunque se trata de una gran injusticia, tú tuviste en mucho la culpa. Nada más pensaste en ti, así que ahora tienes que pagar las consecuencias.

—Ay, mamá, no te pongas así. A lo mejor Lino reacciona.

—No seas estúpida, lo está negando todo. No hay nada que hacer con esa gente. ¿Y sabes por qué es este rechazo, Ana? Porque no tenemos dinero.

—Mamá, lo que pasa es que tú tampoco contribuyes a que las cosas se mejoren. La gente te tiene pavor, hay mucha gente que no te quiere ver ni en pintura. Y eso nos afecta a nosotros.

—Anda tú, idiota, tendré muchos defectos pero no soy ladrona ni soy una mujer de la calle, así que no tienes nada que reprocharme. Me odia la gente porque digo la verdad, porque me tienen envidia y porque no me dejo.

—No nada más es por eso, mamá. La gente te evita porque eres muy, muy…

—¿Muy qué, idiota? Mira, si me sigues molestando, me regreso a México y ahí te quedas con tu problemita…

—Híjole, mamá, la verdad es que ya ni la amuelas. ¿Por qué no mejor te pones en los zapatos de Ana?

—Tú mejor cállate. No necesito que nadie me defienda, y menos tú —me responde Ana.

Ana acaba llorando, mi mamá acordándose de una barbaridad de cosas que le hizo mi papá antes de irnos a Canadá, y yo con un apetito descomunal.

Esa noche tuve un sueño muy extraño. Me veía en la azotea del departamento: estaba todo nevado y en medio de la nieve estábamos Rafael y yo haciendo el amor, totalmente desnudos. Yo nada más llevaba puestos los guantes azul marino que me regaló mi hermana por mi cumpleaños. Rafael me ayudaba a ponerme en pie y me veía reflejada en la ventana con una panza gigante: «Estoy esperando un bebé tuyo», le decía con la cara cubierta de lágrimas. «No es mío, es del *janitor*. ¿Por qué no le reclamas a él?», me decía. En eso aparecía mi mamá y como una loca comenzaba a gritar: «Para que no se entere la gente de que Sofía está esperando, la voy a llevar a la isla más remota de la Tierra, muy cerquita de donde murió Napoleón. Allí se quedará toda su vida. Ya estoy harta de tanta hija desvergonzada».

Me desperté y ya no pude volver a dormir.

Paulina y yo dejamos pasar un par de días antes de visitar a mi hermana y a mi mamá en el departamento que les prestó Sonny. Mientras ella habla al teléfono con la señora Besso, su amiga griega, que conoció cuando trabajaba mi papá en Canadá, Ana y yo terminamos de arreglarnos para ir a comer. Como la encuentro más tranquila, me atrevo a preguntarle si seguía en contacto con Lino. Se pone furiosa.

—¿Sabes qué? Mejor no te metas en mi vida. No seas metiche, ¡caray! No me arrepiento de nada. Ya me tienen harta con reproches y sus estúpidas insinuaciones. Cuando nazca mi bebé, me voy a ir de la casa. Yo no soy Amparo, y lo que menos quiero en esta vida es ser otra víctima de mi mamá. Así que mejor ya no me vuelvas a preguntar nada, ¿me entiendes? ¡Nada!

Es tal su pasión que hasta le ofrezco ayuda para escaparse de la casa, «Cuenta conmigo para lo que sea necesario». En el fondo, la compadezco con todo mi corazón.

Después de nuestra plática, y como mi mamá sigue en el teléfono, mi hermana se pone a trapear, de rodillas, todo el departamento. Como loquita, empieza a cantar la canción de Bob Dylan:

How many years can some people exist
before they're allowed to be free?
The answer my friend is blowin' in the wind...

Diez días después de la llegada de mi mamá y mi hermana, nos avisaron del consulado de México que había llegado la autorización de Relaciones Exteriores. Mi hermana tenía que llevar dos fotografías tamaño pasaporte. Se lo entregarían ese mismo día.

—Miren, niñas, ya no aguanto el frío, no aguanto a Paulina y extraño a mis criadas. Además, esta estúpida está cada vez más gorda. Lo mejor es que nos regresemos a México cuanto antes —dijo mi mamá.

A una semana de la llamada del consulado, gordas como estábamos las tres, fuimos a recoger nuestros boletos a Canadian Pacific. De ahí nos dirigimos a Eaton's. Mi mamá me compró cinco faldas escocesas plisadas, con resorte en la cintura, que estaban en *sale*. Ana se compró un *jumper* de lana gris, también en *sale,* y mi mamá una faja con muchas varillas a mitad de precio. A Toño le compró un *blazer;* a mi papá, una bata escocesa; a Aurora un suéter de *cashmere,* y a Emilia un vestido de tafeta de cuadros. Después fuimos con todo y bolsas a casa de los Idelson a comer, ahí mi mamá volvió a desahogar sus penas y les anunció que nos regresábamos a México.

—A ver cómo nos va en México. Allá la gente es terrible: con la mano en la cintura te levanta falsos, miente desde que se despierta hasta que se acuesta. Además, no crean que el muchacho es de tan buena familia. ¡Para nada! Son unos provincianos de miedo. Lo que me duele mucho es que ya empezaron los chismes y esto les hace mucho daño a mis otras hijas.

Me he fijado en que, entre más problemas tiene mi mamá, más habla y más come sin parar. Cuando mi papá se echó su «canita al aire», todos los días iba a la Casa del Pavo, pedía hasta doce tacos y después llegaba a la casa a comer como si nada.

Me siento tristísima. Después de haber pasado nada más seis meses en Saint Paul's, ahora me tengo que regresar a México, cuando el plan era quedarme un año. Cuando le anuncié a *mother* Saint Maureen que nos regresábamos y le dije cuál era la razón, nada más tomó mi cara entre sus manos y me dio un beso muy cariñoso en la frente.

—*What a pity! I'm going to miss you very much!*

La monja me pidió que por favor le dijera a Ana que fuera a verla para hablar con ella.

—¿Ir a ver a *mother* Saint Maureen? ¡Ni loca! ¿Para qué? ¿Para que me eche un sermón? *Forget it!* —respondió mi hermana cuando se lo dije. Me dolió su reacción porque yo sí quiero mucho a *mother* Saint Maureen, y sé que lo único que quiere es apoyar a la familia.

El día en que me fui a despedir de ella me regaló un pequeño dije en forma de un trébol, y me explicó que ese era el símbolo de San Patricio, el patrono de su país, Irlanda, y que con estos tréboles explicaba el misterio de la Santísima Trinidad. Cuando me dio un abrazo, sentí cómo se me clavaba su crucifijo en el pecho: interpreté este pequeño piquete como una señal, y me dije que tal vez el Señor me estaba llamando como había llamado, hace muchos años, a *mother* Saint Maureen. Después del abrazo, cuando nos vimos a los ojos, las dos estábamos a punto de llorar.

Dos días antes de regresarnos a México, Mercedes me hizo una despedida en su casa con Patricia de Wilden y Barbara. Fue una merienda entre tristona, amistosa y nostálgica. Entre las tres jugamos a nuestro juego predilecto del colegio: *Who stole the cookie from the cookie jar?* Hablamos de *mother* Saint Maureen, y de mi triste experiencia con mi examen de latín. Patricia de Wilden me dio una libreta muy bonita para poner autógrafos.

—Para que te escriban cosas bonitas las compañeras de la clase, y así, cuando lo abras después de muchos años, te acuerdes de nosotras —me dijo con una sonrisa muy tierna.

Barbara me dijo que tenía un regalo muy especial para mí pero que luego me lo daba en la casa. Mercedes me regaló un póster donde aparece el Che Guevara hecho un verdadero mango.

Cuando Barbara y yo íbamos de regreso a casa en el autobús, me sentía muy desconsolada. Mientras ella dormía, empecé a extrañar Montreal: de alguna manera había hecho mía esta ciudad tan bella, civilizada y amistosa. Separarme de *mother* Saint Maureen me significaba mucho dolor porque siempre la sentí generosa y comprensiva. Me sentía tan triste en esos momentos que estaba segura de que iba a extrañar a los Idelson y hasta al *janitor*. Imaginé lo que extrañaría mis chocolates de Caramel Milk, mis *ice cream sodas*, mis pastillas de *butterscotch*, los paisajes con sus árboles todos pintados de rojo y la azotea desde donde tenía la vista más maravillosa de la ciudad cubierta de nieve. Es cierto, mi estancia no fue del todo agradable, no aprendí mucho inglés, pero sí otras cosas importantes: a valerme por mí misma y a no tener tanto miedo de estar sola.

Cuando me despedí de Paulina sentí mucho cariño por ella, y ella por mí. Nos dimos un abrazo muy largo y muy fraternal. Barbara, con su bata china, me esperaba en la cocina para darme mi regalo.

—*This is my present, with all my love* —me dijo con los ojos húmedos.

—*It's the hat. Thank you so much!* —exclamé cuando abrí el paquete y descubrí el sombrero que usé en la cena con los chinos y que tanto me había gustado. Le di dos besos y se lo agradecí muchísimo.

Estamos en el taxi mi hermana, mi mamá y yo. El taxista va furioso porque en la cajuela no cabían las cuatro petacotas llenas hasta el tope; con gran esfuerzo tuvo que acomodarlas. Hay muchísimo tráfico, el taxista nos explica por qué razón están cerradas las calles:

—*It's Saint Patrick's parade!*

Pienso en *mother* Saint Maureen. La imagino compartiendo su día con otras religiosas, también irlandesas, e intercambiándose tréboles, dulces de menta y globos verdes. Llegamos al aeropuerto bajo un cielo despejado. El chofer no puede sacar las maletas de la cajuela. Mi mamá le grita en francés:

—*Dépêchez-vous, monsieur. On va ratter notre avion!*

Ana trae puesto el enorme abrigo de pelo de camello de mi mamá; según ella, para que no se le note. Yo traigo mi gabardina. Hasta ese momento me doy cuenta de que es del mismo color verde emblemático de San Patricio: en homenaje a *mother* Saint Maureen, la conservaré toda mi vida como una reliquia y en recuerdo de este viaje.

Nos registramos y pesan las maletas.

—*Madame, vous avez excédent de bagages.*

Mi mamá se pone histérica y grita que no tiene un centavo para pagar el exceso de equipaje. Que su hija tiene que llegar a México porque empieza a tener las primeras contracciones; que su marido había trabajado en la ICAO representando a su país, que conocía perfecto a Miguel Alemán, expresidente de México; que era una madre que había hecho muchos sacrificios por sus hijos, y que quería hablar con el encargado. Quién sabe cómo le hizo, el caso es que el responsable de Canadian Pacific le autorizó pasar las cuatro maletas sin pagar el exceso de equipaje.

Estamos a punto de entrar a la sala de espera, cuando de pronto se me acerca un policía:

—*Miss Sofía Garay?*

—*Yes?*

—*Could you come with me, please?*

Le digo a mi mamá que no tardo nada. Sigo al agente y entramos a un pequeño cuarto donde nos esperan otros dos oficiales.

—Discúlpenos, *miss* Garay, pero no puede usted salir del país. La escuela Saint Paul's Academy nos ha reportado que nunca pagó sus mensualidades a lo largo de seis meses; en el registro de la escuela aparece usted como única responsable.

Casi me desmayo. Quiero desaparecer en esos momentos. Desaparecer como cuando era niña y sentía que sufría demasiado.

—Tengo que avisarle a mi mamá y a mi hermana.

—No se preocupe, nosotros vamos a avisarles.

Entran mi mamá y mi hermana al cuartito. Las dos se ven pálidas.

—¿Qué pasó? —pregunta mi mamá angustiadísima.

—Paulina no pagó las colegiaturas y por eso no podemos salir del país.

—¡Qué barbaridad! Hay que hablarle al cónsul.

—Es domingo, no lo vamos a encontrar.

—¿Qué vamos a hacer? —pregunta Ana.

—Ni modo, nos tenemos que regresar.

—No seas idiota, ya le regresé las llaves a Sonny.

En casos realmente desesperados como este, siempre recurro a la Virgen de Guadalupe. Sé que suena infantil, pero en estos momentos solamente un milagro puede salvarnos. En dos segundos recité la oración que nos enseñó mi papá:

Mi corazón en amarte eternamente se ocupe
y mi lengua en alabarte, oh, María de Guadalupe...

Dirigiéndome hacia los agentes, con la cabeza gacha y la voz grave les dije:

—Reconozco mi error. En lugar de pagar las colegiaturas de Saint Paul's, tomaba el dinero que mis padres me enviaban cada mes y me compraba chocolates, donas y muchas *sodas*. Con ese dinero invitaba a mis amigas al cine y a comer sándwiches a La Paloma, por eso estoy tan gordita. *I am sorry, very, very sorry.*

Los tres me escuchan entre conmovidos y divertidos. Conociendo a los canadienses de éticos y honestos, esa era exactamente la reacción que esperaba ante la confesión. Mi hermana Ana apoya mis argumentos, y agrega con un inglés perfecto:

—Déjennos ir y les doy mi palabra de honor, *I cross my heart,* que yo misma les traeré el dinero el día que viajemos a México, que tiene que ser muy pronto, porque *as you can see, I'm expecting a baby...*

Los tres agentes nos acompañaron muy serios al mostrador de Canadian Pacific para pedirle a la encargada de los boletos que por favor nos cambiaran la fecha de regreso para el siguiente día.

Como hablábamos sólo en inglés, mi mamá no entendía ni papa. No obstante, estoy segura de que comprendió que lo mejor era que no se metiera, porque de lo contrario habría sido peor.

Más de una hora estuvimos esperando las maletas. Mientras tanto, mi mamá hacía conversación, en francés, con todo aquel pasajero que se dejara y estuviera esperando el llamado para abordar su avión.

—¿De veras te gastaste todo el dinero de las colegiaturas? —me pregunta mi mamá en el taxi.

—¡Claro que no! Todo fue actuado.

—¿Y con qué dinero comprabas tus chocolates y el helado para tus *sodas*?

—Todas las mañanas le robaba un dólar a Paulina y ni cuenta se daba.

—Entonces eres igual de ladroncilla que Paulina.

—*Are you crazy?* No es para nada lo mismo. Una cosa es tomar un poco de dinero ajeno para dulces; otra muy diferente es quedarte con la colegiatura de tu hermana.

—Hubieras hecho lo mismo que Paulina si mis papás te hubieran mandado a ti esos cincuenta dólares mensuales.

—El león cree que todos son de su condición.

—Te lo digo porque te conozco… y sé que eres capaz de eso y más.

—Híjole, Ana, sinceramente creo que no es el momento para reproches, porque a lo mejor sales perdiendo.

—¿Ah, sí? Mira cómo tiemblo… ¡Imbécil!

—¡Ya cállense! Están diciendo puras estupideces. Lo que no entiendo es por qué nunca te avisaron del colegio que las colegiaturas no estaban pagadas.

—*Mother* Saint Maureen jamás me dijo nada.

—¿Y por qué la policía no le avisó a Paulina?

—No lo sé. Habría que preguntarle a ella. O a lo mejor sí le avisaron.

—Yo no sé a quién salió esa estúpida. Así es desde chiquita.

El resto del camino a Avenue Mcgregor continuó siendo un martirio. Para colmo, el chofer no quiso bajar las petacas, tuvimos que llamar al *janitor* para que nos ayudara.

—*Your sister is not in* —dice al vernos.

Le explico que por favor nos deje entrar al departamento, que nos dejó el avión. El *janitor* nos abre y lo primero que pregunta mi mamá es:

—¿Dónde está esa estúpida?

—Ha de estar con sus amigas españolas, mamá.

—No podemos dormir las cuatro en la cama, no vamos a caber —se queja Ana.

—Quita el colchón del tambor, unas duermen en uno y las demás en el otro —dice mi mamá.

Con muchos esfuerzos, mi hermana y yo separamos el colchón del tambor para formar dos camas. Al separarlos, aparecen media docena de globos regados por todo el tambor. Unos se ven como si alguien los hubiera desinflado; otros, al contrario, lucen como nuevos.

—Han de ser los globitos de las fiestas que organiza Paulina —le comento a mi mamá.

Ana se echa una carcajada.

—¡Qué tonta eres, Sofía! Esos «globitos», como dices, son condones.

—¿Con... qué?

—¡Ya cállense! Son unas estúpidas, me van a volver loca. Nada más eso me faltaba: una hija que, además de quedarse con el dinero de su hermana, es una «cuatro letras».

—Por lo menos se cuida. ¿Te imaginas qué pasaría si Paulina no usara los «globitos», como dice Sofía?

—No vuelvas a repetir esa palabra. En vez de considerar a la imbécil de Paulina, me deberían de considerar a mí. Yo no estoy impuesta a estas cosas, en mi casa jamás se hablaba de eso. ¿Dónde estará esa idiota, que no llega? Voy a hablarle a tu papá. ¡Dame el teléfono!

—¡Es tardísimo! En México son las dos de la mañana.

—A mí qué me importa, le tenemos que avisar que llegamos hasta mañana. ¿Y ahora dónde voy a conseguir el dinero que tenemos que llevar mañana al aeropuerto?

—Paulina lo tiene que pagar, ella se lo gastó. O te lo paga, o le llamo a su jefe a la ICAO.

Está mi mamá pidiendo la llamada de larga distancia cuando aparece Paulina.

—¿Qué pasó? ¿A poco perdieron el avión? —pregunta arrastrando ligeramente la lengua.

—¡Anda tú, idiota! Por tu culpa no nos pudimos ir. Nos detuvo la policía porque no has pagado el colegio de Sofía. Además de ladrona, eres una mujer de la calle. Mira nada más todas esas porquerías regadas en el tambor. Con razón te va como te va, ¡eres una irresponsable! No, más bien soy yo la irresponsable, por haberte mandado a Sofía. ¡Bonito ejemplo le has dado a esta pobre!

Con su abrigo de pelo de camello de Israel y sus botas negras de gamuza, Paulina no puede hablar. Está impactada.

—Perdón, mamá. Tienes razón, fui una estúpida. ¿Para qué me mandaste a Sofía? No estaba preparada para ocuparme de una adolescente con tantos problemas. Además, casi nunca le mandaban dinero.

—¡Eres una mentirosa, Paulina! Yo sé que mi papá te mandaba cada mes el dinero del colegio. Es cierto que no era mucho, pero eran exactamente cincuenta dólares: tú te lo gastabas en tu abrigo, en tus cremas y en tus fiestecitas. Ahora comprendo por qué no querías que te acompañara y me mandabas a casa de Mercedes. Le regresas el dinero a mi mamá, para que mañana pague en el aeropuerto, o te atienes a las consecuencias.

Estoy tan enojada que me siento como Bette Davis gritándole a Joan Crawford en *¿Qué pasó con Baby Jane?* Nunca me imaginé que sería capaz de hablarle a mi hermana de ese modo. Además de valiente, me siento súper adulta. Mi mamá y Ana se quedan apantalladas con mi actitud.

—Sofía tiene razón. Si no me pagas en este momento, mañana voy a la ICAO y hago un escándalo.

Es la primera vez en toda mi vida que mi mamá me da la razón. Me siento orgullosa. Paulina se dirige hacia el clóset. Busca al fondo de la parte de arriba su bolsita de noche, la abre y de un fajo de billetes saca los trescientos dólares. «De haber sabido que tenía su dinerito allí, le hubiera robado», pienso sin malicia.

Le entrega el dinero a mi mamá y se encierra en el baño. Clarito escuchamos el momento en que vomitó.

13

El segundo trabajo de mi vida consistió en reemplazar a mi hermana como recepcionista en Air France: Aurora había sido operada de una úlcera y tuvo que guardar cama durante varias semanas. El director general, Alfred de Cabrol, aceptó con mucha gentileza que yo fuera su recepcionista temporal; según mi hermana, es conde. Alto, rubio, de ojos azules y siempre perfectamente bien vestido, me recibió con mucha educación. La oficina de la compañía se encuentra frente a la estatua de Cristóbal Colón. Me queda muy cerquita de casa, todas las mañanas me voy a pie. El ambiente es muy vivo, a toda hora entra y sale gente para ver sus futuros viajes, pasajeros que no encuentran sus maletas, agentes viajeros; sobre todo, gente importante que tiene que ver con el turismo y otras oficinas gubernamentales.

Sufrí los primeros días. Bastaba con que el «conde» exclamara «*Mademoiselle Garay!*», para que yo diera un brinco y me dirigiera a su oficina: «¿Se le ofrece algo?». En Air France también trabaja un primo lejano mío, Ignacio Orendáin; es de Guadalajara, mide casi dos metros y siempre tiene cara de mortificado. Mi mamá dice que es joto, así que cada vez que lo veo pasar frente a la recepción me pregunto lo mismo: ¿será o no será joto? Tengo poco tiempo para averiguarlo. Mi hermana mejora antes de lo previsto, me avisa que pronto retomará su puesto y es necesario que yo busque mi propio trabajo.

—Tienes que hacer algo, Sofía. No puedes seguir siendo una carga para la familia.

En mi casa no tenemos dinero para inscribirme en el Instituto Familiar Cristiano, que está en plena Zona Rosa, donde las alumnas —incluida mi amiga Carmen— aprenden a bordar, cocinar, coser, hacer arreglos florales de migajón y repostería. Y como en la oficina de Air France me queda algún tiempo entre pendiente y pendiente, me doy a la tarea de buscar en la Sección Amarilla la página de «academias para secretarias». Como no sé por dónde empezar, cierro los ojos y con el índice voy recorriendo la hoja. El azar quiere que mi dedo se detenga en el anuncio de «Academia Comercial Lefranc, taquimecanografía. Colonia Santa María la Ribera». Llamo y hago una cita para el siguiente día.

La máquina de escribir Olivetti se encuentra cubierta por un cubreteclado negro que me impide ver las teclas; de vez en cuando hago trampa y me asomo por debajo de la pequeña tela, la cual seguramente ha sido lavada más de un millón de veces. «Meñique, anular, medio, índice y pulgar», repito constantemente para que cada dedo coincida con la letra correspondiente. Me hago bolas. Veo la hoja y me doy cuenta de que no lo estoy haciendo bien. Tengo que escribir de corridito «casa, casa, casa; mío, mío, mío». Por más que me concentro no me sale. La maestra Carmelita se ve más gordita por toda la ropa que usa debajo de su bata rosa, parece monja. El pelo, medio canoso, lo lleva muy corto, seguramente es de las que usan crema Teatrical. Se pasea entre las bancas y revisa nuestros ejercicios. Tengo la impresión de ser su consentida porque soy la güerita de la clase; el resto de mis compañeras son igualitas a las quinceañeras de pueblo, corresponden perfectamente a lo que dice la publicidad de la Academia Lefranc: «Preparamos a señoritas con la intención de ofrecer una alternativa real de superación a las mujeres jóvenes que no tienen más oportunidad que ser empleadas domésticas, monjas o enfermeras».

El que está muy contento con mi iniciativa es mi papá, porque está seguro de que estos cursos me harán mucho bien, además le gusta la idea de que la academia se encuentre en la calle de Fresno, a dos cuadras de donde vivió con sus papás y hermanos. Mi papá se conoce la colonia de memoria. Me cuenta que en el Kiosco Morisco de la alameda conoció a mi mamá cuando ella iba al Colegio Francés de San Cosme. Me platica de la nevería de los sordomudos, del Museo de Geología. Recuerda dónde estaban las cantinas, las panaderías, las farmacias y los cines. La anécdota que más me gustó fue la de la parroquia del Espíritu Santo, muy cerca de mi academia. Cuando mis papás eran novios, mi mamá lo llevó a esa iglesia y le hizo jurar que se casaría con ella y que la amaría toda su vida. En otras palabras, ahí se casaron espiritualmente, frente a una enorme imagen de la Virgen de Guadalupe.

Aparte de mecanografía, estudio la taquigrafía Pitman. El salón, pintado todo de verde limón, se encuentra al fondo de un patio interior rodeado por macetas de helechos. Aunque la casona es muy vieja, tiene su encanto; me recuerda a la novelita de *Aura*. Imagino que aquí vivía una familia acomodada con muchos hijos y criadas. Tiene muchos salones que tal vez sirvieron para recámaras amplias, recibidores, sala de costura, comedor, antecomedor, sala de juegos y un amplio salón donde se encuentra la Dirección de la academia.

Mi maestra de taquigrafía se llama Celia, es chaparrita, se peina con permanente y siempre tiene una sonrisa Colgate en los labios. Al igual que la maestra Carmelita, usa una bata rosa y es muy exigente con nosotras, nos deja mucha tarea. Tenemos que memorizar los «signos consonantes», escribirlos por lo menos treinta veces en un bloc rayado y con un lápiz especial. Cada signo debe de medir no más de cinco milímetros; existen signos finos y otros gruesos.

—Nunca se debe repasar o sobreescribir un signo para hacerlo grueso. Acuérdense, señoritas, que se hacen de arriba hacia abajo.

La maestra nos dicta un texto del periódico *Excélsior*, me fijo en los trazos de las demás y veo que algunas lo hacen con una velocidad impresionante: «Mario Moreno "Cantinflas" toreará mañana, 4 de agosto de 1963, en la plaza de Ciudad Juárez; más de la mitad de las entradas ya están vendidas del lado norteamericano». Algunas se ríen con la noticia, pero no pierden la concentración.

Son las ocho de la noche, estoy en el camión de Santa María la Ribera. Veo a los otros pasajeros y me dan lástima, muchos de ellos se ven cansados y vestidos de una forma sumamente modesta. Hay señoras acompañadas por sus hijos. Algunas de ellas me miran de reojo, como preguntándose: «¿Y esta qué hace aquí?». Tienen razón, tampoco sé qué hago aquí.

En la familia estamos viviendo la misma historia que con Lety; el mismo caos, la misma desorientación y el mismo miedo al qué dirán. A todos nos está afectando muchísimo la llegada de Lorenza, la bebita de mi hermana Ana. No puedo creer que mi mamá llevara su cuna al segundo piso de la casa y la haya metido en la biblioteca para que nadie la oiga ni la vea. Se la pasa gritando, insultando y por teléfono habla horrores del papá de la niña: a todo el mundo le dice que su hija de diecinueve años fue víctima de ese señor tan manipulador. El otro día le llamó por teléfono y le dijo que tenía que asumir su responsabilidad, porque no era posible que estuviera desprestigiando a su hija con todo México. «Te suplico que te calles la boca y pienses que tengo otras hijas. Te suplico que ya no sigas hablando mal de mi hija». Y le colgó.

Está tan desesperada por los falsos que le han levantado a mi hermana, que no hace mucho fue a ver a los papás de Lino Campos para suplicarles «en caridad de Dios» que su hijo reconozca a su hija; es tal su negación que lo mandaron llamar y le hicieron jurar sobre una Biblia que no era su bebé. Así es toda esa gente: hipócrita y mentirosa.

Aunque mi papá anda preocupadísimo con todo esto, la que más sufre es Ana. Sigue muy enamorada de Lino. Lo más terrible es que él está a punto de casarse con otra ingenua, hija de una señora guapísima que aparece en las páginas del libro *Los Trescientos y algunos más*. No me puedo imaginar a qué grado lastima a mi hermana que el papá de su hija le cuente a todo México que ella andaba con muchos novios. Tampoco me quiero imaginar lo que le ha de doler el rechazo de todos: tías y tíos, primas y primos, conocidos y conocidas, hasta de nuestras vecinas, las señoritas Palacios. El rencor social que estamos padeciendo es tan evidente que, me contó Aurora, la otra mañana que caminaba por la Zona Rosa vio venir a una amiga suya que, con tal de no saludarla, se cambió de banqueta.

Chismes y más chismes; rumores y más rumores. A la salida de la Votiva escucho a las señoras que conocen a mi mamá: «¿Ya supiste lo que le pasó a la hija de Inés?», «¡Claro! Eso les pasa por ser tan *internacionales*. Desde que llegaron de Francia creen que pueden comportarse como parisinas», «Bien dice el refrán: cría cuervos y te sacarán los ojos», «Yo conozco muy bien a la familia Campos y son gente intachable», «El papá es un gran amante de la ópera, además es Caballero de Colón», «Lo bueno de todo es que Lino se casa con una chica de magnífica familia. Además es monísima».

«¿Cómo le pudiste hacer esto a tu hermano?», le pregunta todo el día mi mamá a Ana. «¿Cómo le pudiste hacer esto a mi papá?», le preguntan mis hermanas. Toño ya no le dirige la palabra. A veces, cuando se la encuentra en el corredor de la escalera, se hace el desentendido. Diario me pregunto qué haría yo si me pasara lo mismo que a mi hermana. ¿A dónde iría? ¿Habría actuado Rafael de la misma forma que Lino? ¿Nos hubiéramos casado inmediatamente, o habríamos huido con nuestro bebé a Montreal?

Lo bueno es que de Rafael nunca podría haberme embarazado. No me escribió ni volvió a buscarme desde que regresé a México. Simplemente se olvidó de mí.

Mi hermana está muy triste, veo sus ojos muy melancólicos. No sabe qué hacer para convencer a su exnovio de que la bebita es suya. Cuando cumplió seis meses, Ana fue a ver a la futura suegra de Lino y le llevó a Lorencita para mostrarle lo parecida físicamente que es a su papá. La señora de *Los Trescientos y al-*

gunos más negó todo y dijo que su hija estaba muy enamorada de su prometido, con quien se casaría el 24 de diciembre en el templo de La Profesa. Cuando mi mamá se enteró de esto se puso fuera de sí, le gritaba a todo mundo; en esos momentos, seguramente mi papá lo único que quería era huir a su isla Tristán de Acuña. Qué hubiera dado por conseguirle un boleto de avión para que partiera lo más pronto posible. Todos en la casa ya estábamos hartos del tema pero no era fácil salirse de ese escándalo, bastaba con ver a Lorenza para acordarse de la cara de Lino, y bastaba con toparse con mi hermana en cualquier rincón de la casa para darse cuenta de su sufrimiento.

Cuando Amparo se enteró de la hija de Ana, fue como mirarse, con mucho dolor, en un espejo estrellado que auguraba muy mala suerte. El nacimiento de la primera hija de Inés también fue eclipsado por la llegada de Lorenza; Paulina, de plano, quería pertenecer a otra familia donde no sucedieran este tipo de escándalos. Mi hermana Aurora tuvo una úlcera y su noviazgo de alguna manera se vio afectado con tantos chismes y rumores. Emilia se había encerrado cada vez más en sí misma. Lety, más confundida que nunca, no acababa de entender si el bebé que lloraba en la biblioteca era su hermanita, su prima o una nieta más de sus abuelos. Y por último yo que, sin noticias de Rafael o Deby, lleno por las noches hojas y hojas de mi cuaderno con palabras como *tristeza, soledad, invisibilidad, incomprensión, coraje* y *rabia.*

Esta Nochebuena a nadie se nos antoja repetir pavo ni buñuelos ni brindar. Mucho menos intercambiar regalos. El ánimo de la familia anda por los suelos. Me dijo mi amiga Carmen que los papás de la novia le tienen tanto pavor a mi mamá que pidieron unas patrullas alrededor del templo porque temen que interrumpa justo en el momento en que el padre dice: «Si existe algún impedimento para que esta boda se realice, que hable ahora, o calle para siempre».

Como la cena de Navidad terminó temprano, mi papá, Toño y casi todas mis hermanas se fueron a dormir. Mi mamá se puso hablar por teléfono con Lupita de la Arena, su amiga solterona. Mientras levanto los platos de la mesa, escucho a mi mamá decir:

—Te digo que todo México recibió invitación para la boda. Sí, se casan hoy a las doce de la noche en La Profesa, a pesar de la fecha me dijeron que va a ir muchísima gente. Lo hicieron adrede, Lupe, todo para sentirse apoyados socialmente y para demostrar que Lino fue víctima de una *levantafalsos*. ¿Verdad que es inconcebible? Para que veas la calaña de esa gente.

—Mamá, mamá.

—¿Qué quieres?

—Voy a ir a misa de gallo aquí en el Perpetuo Socorro con la familia de Carmen.

—Está bien, está bien, no me molestes.

Subo rápidamente a mi cuarto. Busco mi gabardina verde, mi bufanda y mi boina escocesa, y salgo corriendo.

—¿A dónde vas? —me pregunta Ana mientras le da el biberón a su hija.

—A misa de gallo con Carmen. No me tardo.

Sin que se dé cuenta, busco la bolsa de mi mamá, meto la mano hasta el fondo y saco un billete de cien pesos todo enrolladito. Después salgo a la calle y me paro, muerta de miedo, en la esquina de Rhin a esperar un taxi.

—A la iglesia de La Profesa.

—¿El templo que está en Isabel la Católica?

—Ese mismo.

—¿Va a misa de gallo?

—Sí, allí me están esperando mis papás.

—Uy, señorita, hay mucho tráfico; mire nada más cuántos coches.

—Para que no se me haga tarde, si quiere, déjeme frente a Sanborns y yo me voy caminando.

De niña tomaba polvos para hacerme invisible. Nunca como ahora he querido que esos polvos fueran reales: hacer como que me los tomo y desaparecer por arte de magia. A lo lejos escucho la marcha nupcial, acompañada de un coro de niños. De las columnas que llegan hasta el techo cuelgan terciopelos rojos, se ven muy antiguos. Hay velas por todos lados, y decenas de ramos de nardos y gladiolas. Veo entrar al cortejo de las madrinas de arras y lazo vestidas de terciopelo en tono fresa. Caminan muy despacito y con las manos entrelazadas: gallo, gallina, gallo, gallina.

La iglesia está llena de gente muy bien vestida. Muchas invitadas, todas con sombrero y collares de perlas. Caras conocidas, amigas de mi mamá. De pronto aparece el novio, vestido de frac: tiene cara de compungido, como si en esos momentos estuviera ausente. Lorenza, su hija, es igualita a él, su mismo retrato. La hubiera traído conmigo para enseñársela a todos los invitados mientras felicitan a los novios en la sacristía. Lino se pone frente al altar y espera a la novia, que hace su aparición con un vestido de seda blanco y su corona de azahares, la cara cubierta con un velo de fino tul. Los asistentes se ponen de pie.

La misa me parece larguísima, pero tengo que esperar el momento preciso. Recorro disimuladamente los pasillos y observo las pinturas del siglo XVIII que cuelgan de los muros. Me impresiona una pintura que se llama *El milagro de la muerte*: una mitad representa el cuerpo de una señora vestida como del siglo XIX, la otra representa un esqueleto. Al pasar ante una imagen preciosa de un Cristo, le rezo con los ojos cerrados: «Te pido por esta sociedad mexicana tan hipócrita, mentirosa y falsa. Te pido para que no se tapen los ojos y vean la verdad de frente. Te pido por mi hermana Ana, para que nunca olvide lo que le hicieron y para que le des mucha fuerza interior. Y por último, te pido por Lorenza para que, a pesar de no haber sido reconocida por su papá, sea muy feliz».

Quién sabe cuánto tiempo me ausenté de la ceremonia, el caso es que llego frente al altar justo en el momento en que el padre Alejandro Leñero dice muy solemnemente:

—Si hay alguien en esta iglesia que tenga algún impedimento para que esta pareja se una, que hable ahora o calle para siempre.

«Soy Sofía, y vengo a decir públicamente y ante la Iglesia que el novio no se puede casar. Aunque lo niegue, es el padre de Lorenza, hija de Ana Garay, mi hermana y la que fuera su novia. No se puede casar porque ha jurado sobre la Biblia que no es el padre. Por eso no se puede casar».

En la iglesia se hace un silencio pesado como el plomo. Es evidente que el padre ni me ve ni me escucha. Quizá, después de todo, sigo siendo invisible.

La boda continúa como si nada, pero en mi cabeza no deja de dar vueltas la siguiente letanía:

Entonces, ¿todos son borregos?
Todos somos borregos.
¿Prefieren vivir en la mentira?
Preferimos vivir en la mentira.
¿Para ustedes lo más importante son las apariencias?
Para nosotros lo más importante son las apariencias.
¿Quién dice entonces la verdad?
¡Nadie! ¡Nadie! ¡Nadie!

—¡Taxi! —grito en la esquina de 5 de Mayo e Isabel la Católica. A lo lejos veo a los papás de Rafael, que se encaminan hacia el estacionamiento. Me hago la disimulada y camino con dirección al Zócalo: allí finalmente encuentro uno libre y me dirijo a casa.

—¡Qué ocurrencias ir a la misa de gallo! —me recibe mi mamá.

Luego regresa al teléfono y sigue quejándose de la injusticia y de la doble moral de la familia de Lino, se siente devastada por la forma en que todos sus conocidos relegaron a la nuestra de la vida social de México. Antes de subir a mi cuarto pienso en lo que ella hizo con Amparo. Mi mamá siempre dice que todo se paga en esta vida. No se da cuenta de que acaba de recibir una sopa de su propio chocolate.

14

Hoy me entregaron los exámenes de mecanografía y taquigrafía. Todavía me falta practicar mucho en las dos materias, sin embargo, siento que estoy adelantando. La semana pasada escribí en taquigrafía casi ciento cincuenta palabras por minuto. Quiero llegar a ser la perfecta secretaria de un perfecto secretario de Estado, así me enteraría de muchas cosas turbias que no necesariamente se publican en los diarios. Y quiero llegar a transcribir, en taquigrafía, todas las conversaciones telefónicas de mi mamá: además de que habla muy rápido, es genial para describir diversas situaciones.

Estoy en clase de mecanografía cuando la maestra Carmelita me viene a avisar que me hablan de la Dirección. Me asusto porque pienso que me van a correr o me van reclamar que no he pagado la última mensualidad. Es todo lo contrario: el señor Lefranc, nieto de la fundadora de la escuela, me muestra un anuncio del periódico *Excélsior*: «Empresa importante solicita secretaria inglés-español para gerencia general. Enviar solicitudes incluyendo *curriculum vitae* a Viena 26, primer piso, México 6, D. F.».

—Pero, señor Lefranc, aún no he terminado mi curso.

—Mire, señorita, se trata de una compañía alemana de fotocopiadoras; el tipo, la educación de usted y el hecho de que habla inglés, corresponden perfectamente bien a la solicitud.

Llegando a la casa se lo comento a mi papá y me anima para que atienda el anuncio. Lo pienso durante la noche, me pregunto qué clase de empresa alemana será. Tiene razón mi papá, no pierdo nada con ir. Además es una oportunidad para conseguir, si me contratan, un trabajo formal.

Me despierto temprano. Procuro vestirme lo mejor posible. Como ya adelgacé bastante para verme como la perfecta secretaria profesional, me pongo un traje sastre azul marino con minifalda que me prestó Aurora y unas pantimedias que me compré en Montreal. Me peino con un chongo a la Grace Kelly y me pongo una mascada; no me veo de dieciséis sino de dieciocho años. Voy corriendo a la esquina de Rhin y Nazas para tomar mi Juárez-Loreto y dirigirme a la compañía alemana. Animada por el comentario del señor Lefranc, hago caso omiso del *curriculum* y me presento personalmente.

—Le voy a hacer unas preguntas y usted me contesta por escrito —me dice el señor Constantino Garzoni, gerente de Burmester, S. A.

Voy contestando el examen, me detengo al llegar a una multiplicación; la cifra a multiplicar es 1200 por 0. Me tardo mucho en contestar, sin embargo, logro por fin obtener un resultado. Le entrego el cuestionario al señor Garzoni y me dice que espere en la recepción. Media hora después me manda llamar.

—Señorita, qué pena, pero usted cayó en la trampa: toda multiplicación por cero es cero. Lo siento, no le podemos dar el trabajo.

Escucho lo anterior y quiero desaparecer. No sé si llorar o reírme. Me quedo tan desconcertada que deseo salir corriendo de esa oficina. Estoy avergonzada, revivo el momento en que me expulsaron del colegio.

Camino, cabizbaja y deprimida, hacia la esquina de Roma y Viena. Tomo el Juárez-Loreto y, como me sucedió cuando Rafael me besó en el estacionamiento del Jockey, a unas cuadras de mi casa me bajo con el camión andando. Me quiero morir. ¡Desaparecer! No quiero llegar a mi casa y anunciarles que no me aceptaron en el trabajo por una multiplicación no resuelta porque era por cero. Así me quedé yo, ¡en cero! Mi autoestima está en cero, mi ánimo en cero, mi porvenir también está en cero.

—Ay, Dios, ¿entonces no te aceptaron en el trabajo? Pobre de ti, estás perdida. Te voy a mandar con Lupita de la Arena para que le ayudes a limpiar plata en su tienda del hotel Monte Casino —me dice mi mamá entre despectiva y enojada.

Al otro día tengo que enfrentar al señor Lefranc, de la academia, y confesarle que no había obtenido el trabajo en Burmester.

—No se preocupe, señorita Sofía, ya habrá otras oportunidades. Aquí a la academia hablan constantemente para solicitar personal. Qué bueno, porque así no la perdemos. ¡Bienvenida!

Dos semanas después de este fracaso, el señor Lefranc me llamó porque le habían vuelto a llamar de Burmester para que me entrevistara, una vez más, con el gerente.

—Necesitamos una recepcionista y usted reúne todos los requisitos —explica el señor Garzoni—. ¿Le interesa?

Le digo que sí, que gracias y de paso le pregunto cuánto me van a pagar.

—¿Le parecen bien setecientos pesos mensuales? Su trabajo consistirá, además de contestar llamadas del conmutador, en hacer fotocopias y picar, a través de una máquina de escribir, algunos esténciles. Siempre estará asistida por el departamento técnico.

Me voy feliz de la oficina del señor Garzoni. Ya no me siento inútil. ¡Voy a ganar dinero! ¡Mi dinero! Voy a poder ahorrar para salirme de la casa. Le propondré a Ana rentar juntas un departamento, contratar una nana para Lorenza, viajar a muchos lados. Con mi dinero podré comprarle también mucha ropa a Lety, y quizás hasta me sobrará para mandarle algo a Amparo. Me voy a poder comprar, yo sola, mi *shampoo*, mis Kotex, mis Sedalmerck, mis zapatos, mi *make up* y hasta mi ropa interior, para que mi mamá no me imponga la faja con varillas que para ella es como un cinturón de castidad. Voy a invitar a todas mis amigas al cine y a merendar en la cafetería Koala, en el hotel María Isabel. ¡Gracias, señor Garzoni!

Lo más divertido de mi trabajo en Burmester es la convivencia con los agentes vendedores de las fotocopiadoras. Todos son muy simpáticos, en especial el señor Flores, quien cada vez que pasa frente a mi lugar imita la voz de Mauricio Garcés y me saluda: «¡Buenos días, señorita Sofía! ¡Arrrozzzz!», a la vez que entorna sus ojos medio saltones.

Físicamente es más bien feo, de estatura mediana, muy moreno, se peina el copete con brillantina Palmolive. Usa muchos trajes de color café con chaleco y corbatas de poliéster de pésimo gusto. Más que un agente de ventas, parece que canta en un trío de medio pelo. A veces me trae donas o una manzana cubierta de caramelo de las que venden en el Woolworth de Reforma; también me regala discos de Los Panchos y uno que otro osito de peluche. Platicamos y nos reímos mucho. Me ayuda con los esténciles y me explica con toda paciencia cómo manejar las fotocopiadoras; no en balde es uno de los vendedores estrella. Su cartera es amplia porque siempre atiende muy bien a los clientes. Cada semana va a verlos para surtirles el material que llega desde Alemania. Sigurd Burmester lo adora porque vende todo: papel Agfa Gevaert, esténciles, mimeógrafos, tóner y otros productos.

Gracias a mi nuevo trabajo, he descubierto que me gusta mucho el trato con la gente. Aquí a Burmester vienen todo tipo de personas, sobre todo los clientes del Banco Internacional, que está a tan sólo unos pasos de la empresa. Por lo general me traen el original que servirá como machote para picar el esténcil, y con eso imprimir en el mimeógrafo hasta quinientas copias de recordatorios de pago a clientes morosos.

Otro cliente es abogado, el licenciado Castillo, que constantemente me trae sus casos para que le haga copias fotostáticas. En este momento tiene una demanda entre dos hermanos que se pelean por la herencia paterna en contra de su madre. Estoy picadísima, en lugar de sacarle sus fotocopias, me la paso leyendo el caso. ¡Pobre mamá, con esos dos hijos tan ambiciosos! Ya me imagino el lío que se armará entre mis hermanos el día que mi mamá «se nos adelante». Para no tener problemas, prefiero que a mí no me deje nada salvo el sillón Napoleón III de palo de rosa. De todas maneras no hay mucha herencia que esperar.

El señor Burmester nos invitó a una pequeña merienda en su casa. ¡Qué amable! Como buen alemán es disciplinado, con sus reglas bien establecidas y objetivos muy claros. Eso sí, muy simpático. Cuando habla español se le percibe mucho acento. Rubio, bajito, de mirada enérgica, me recuerda al actor alemán que sale de nazi en la película *Los cañones de Navarone* y cuyo nombre no recuerdo.

—Mamá, me invitó mi jefe a una reunión en su casa, vive en un departamento en Polanco.

—Ay, Dios, ¿qué querrá ese señor?

—Ay, mamá, ¿qué te pasa? ¡Está casado!

—¡Uuuy!, si supieras cuántos hombres casados andan de donjuanes. Pregúntale a tu papá…

—Ay, mamá, ya olvídate de esa historia. ¿Me prestas tu collar de perlas?

—¿Qué, no tienes uno?

—No, mamá. Todos se los has comprado a mis hermanas mayores.

—Dile a tu hermana Inés que te preste el suyo.

Estoy en la reunión en casa del señor Burmester. Somos cerca de quince personas. Lo reducido del departamento provoca que estemos muy pegaditos unos a otros. El que aprovecha la situación es el señor Flores, se me aproxima mucho.

—Señorita Sofía, ¿quiere que le traiga otro jugo? —me pregunta cada diez minutos. Lo hace de una forma tan chistosa que no puedo evitar carcajearme.

Seguimos platicando. En algún momento se hace un silencio en la reunión y de repente al señor Flores se le ocurre una idea:

—¿Por qué no le pedimos a la señorita Sofía que imite al señor Burmester?

Híjole, eso sí que no me lo esperaba. No sé qué hacer.

—¡Que lo imite, que lo imite! —empiezan a gritar los invitados.

—Sin pena, So. Puede imitarme.

—¿De veras? ¿No le molesta?

Para realizar mi *sketch* aparto la mesita que está a mi lado. Comienzo imitando su caminar, dando grandes zancadas como si estuviera marchando. Después toso un poco y engroso la voz:

—¡So! Estoy esperando la llamada que le pedí hace cinco minutos. ¡So! Es muy urgente. ¡So! Dígale a la señora Jacobsen que venga. ¡So! ¿Por qué tiene tantos papeles en su escritorio? ¡Soooooo!

Todos aplauden y el que más ríe es precisamente el señor Burmester.

La cena es deliciosa, unas salchichas vienesas con riquísimo puré de papa y ensalada de col agria; de postre sirven un *strudel* calientito con muchas pasas y canela.

—¿Me permite el honor de llevarla a su casa? —me pregunta el señor Flores, siempre con una sonrisa en los labios.

Le digo que sí, siempre y cuando partamos de inmediato porque ya es tardísimo.

Salimos el señor Flores y yo del edificio. Nos encaminamos hacia su coche. Veo con sorpresa que se pone del lado izquierdo de la acera. Con toda caballerosidad me abre la portezuela del Volkswagen color chicle, espera a que me siente para cerrarla y corre al lado del volante. Acomoda el retrovisor y en seguida sintoniza Radio Centro, que siempre toca boleros. Me siento nerviosa y no sé por qué. ¿Será que cada vez que me mira lo hace con demasiada *ter-nu-ra*? Odio la palabra, me parece cursísima. En mi familia nadie es tierno con nadie, menos mi papá.

Oh, my God!, ya puso su mano sobre la mía. No sé si quitársela o no. Híjole, ¿qué estoy haciendo en este coche, a estas horas, yo sola y con un hombre casado que es un agente de ventas de fotocopiadoras? No sé si me da asco o me gusta. Es tan opuesto a todo lo que le gusta a mi mamá, para ella es un pelado. «Sin ti no podré vivir jamás, y pensar que nunca más estarás junto a mí», cantan Los Panchos. Esto se está poniendo demasiado romántico. Lo malo es que actúo como si me gustara, y no sé si me gusta. Sin embargo, reconozco que me cae muy bien. Poco a poco lo he ido descubriendo como una persona muy genuina. Ha de ser muy buen papá.

Híjole, no me suelta. Veo de reojo nuestras manos sobre la palanca de velocidades, y me doy cuenta de que la suya es morena y burda; contrasta con la mía. Ahora nuestras dos manos unidas van cambiando las velocidades.

—Maneja usted muy bien, señorita Sofía —me dice en son de broma.

—Y usted también, señor Flores.

—¿Sigue con sus cursos en la Academia Lefranc?

—Sí, voy todas las tardes saliendo de Burmester.

¿Qué me pasa? ¿Por qué no opongo la mínima resistencia? «Sin ti qué me puede ya importar, si lo que me hace llorar está lejos de aquí...». En el fondo me halagan todas sus atenciones y sus detalles: con los que he salido antes son totalmente opuestos a él, superficiales y muy pagados de sí mismos.

—¿Por qué tan calladita, Sofi?

—Estoy escuchando la música.

—¿Te agrada la música de Los Panchos?

¡Ah, carambas, ya me está hablando de tú! «Sin ti no hay clemencia en mi dolor, la esperanza de mi amor te la llevas por fin…». ¿Qué hago? ¿Le contesto de tú o de usted?

—¡Qué hermoso es el requinto! ¿Verdad?

—Me encanta —contesto sin tener la mínima idea de qué significa eso del «requinto»—. En la próxima dé vuelta a la izquierda, por favor.

—¿Qué pasó, Sofi? Cómo que «dé» vuelta… «¡Da vuelta a la izquierda!»

Avanzamos unas cuadras. «Sin ti es inútil vivir, como inútil será el quererte olvidar…». Finalmente llegamos a la calle de Nazas y a lo lejos percibo la silueta de mi papá con su bata escocesa esperándome afuera de la casa. No sé si presentarle al señor Flores o no. Me siento culpable. Tengo que actuar con toda naturalidad. Ojalá no salga mi mamá: me daría pena que me empezara a gritar frente a él.

—¿Qué horas son estas de llegar?

—Ay, papá, le dije a mi mamá que iba a cenar a casa del señor Burmester.

Me despido rápido del señor Flores con un *buenas noches* y un *hasta mañana*. No lo presento con mi papá. Creo que así está mejor. Él tiene que entender que soy harina de otro costal.

Subo a la recámara, encuentro a Ana platicando con Aurora. Quién sabe de qué hablan, cuando me ven se callan de inmediato.

En el baño me pongo mi piyama y me desmaquillo con la crema Orlane que me acabo de comprar. Regreso a mi cuarto y, al momento de cerrar la persiana, me doy cuenta de que frente a la casa hay alguien que me hace una señal. ¡Es Flores! No lo puedo creer. ¿Qué le pasa? ¿Qué diablos quiere? Me dice adiós con la mano. No le respondo y le azoto la persiana. Pero el lunes me saluda como si nada: «Señorita Sofía... ¡Arrrozzzz!», y aunque estoy enojada, no puedo evitar echarme a reír.

Desde la cena de Burmester han pasado dos semanas y el señor Flores y yo nos hemos visto varias veces, pues suele ir por mí a la Academia Lefranc. Las primeras dos nos regresamos juntos en el camión de Santa María la Ribera, las últimas en su coche. Generalmente pasa por mí a las nueve, subimos a su Volkswagen y nos estacionamos a besarnos en la calle de Carpio; en esa esquina nos hemos llegado a quedar hasta una hora. Eso sí, no nos sobrepasamos. Él me respeta mucho y está consciente de que es mucho mayor que yo, que está casado y pertenecemos a dos mundos muy distintos. Lo más llamativo de todo es que, a pesar de que nuestra relación es cada vez más cercana, nadie, ni en la empresa ni en mi casa, se ha dado cuenta de nada. Esto confirma que les valgo un pepino.

A Raúl Flores le he contado toda mi vida. Le he platicado de Lety y de lo mucho que me preocupa. Ya le conté lo de Ana y Paulina, sobre todo, de la pésima relación con mi mamá. Le he platicado de mis otras hermanas y de Toño. También le cuento que mi sueño dorado es ir a estudiar a París. De lo único que no hablo con él es de mi otra vida, la social, la de las tardeadas del Jockey, mi amistad con Carmen, las salidas con Rafael. Menos le he contado de Deby, no sé si me entendería, además, tampoco he vuelto a verla desde que volví de Canadá. No obstante, puedo decir que nunca había conocido a alguien tan solidario y comprensivo. Raúl me acepta tal como soy. No me juzga y me consiente muchísimo. Con él me siento muy segura y sobre todo muy mujer, pues es cierto que entre los dos existe una enorme atracción física. Es tan humano que cuando le platiqué lo de Lety, esa misma noche, media hora después de dejarme a unos metros de mi casa para no correr riesgos de que lo vean, estuvo horas en la esquina de Nazas y Rhin con un enorme oso de peluche. Era tan grande que apenas podía sostenerlo entre los brazos.

«Es para Lety», me dijo a señas.

Y yo le dije, también a señas, que era imposible que lo aceptara.

Raúl hace todo para no comprometerme. Lo que menos desearía es meterme en líos; sin embargo, sé que estoy metida en un lío. A veces me es muy difícil llevar esta doble vida. ¿Cómo es posible que llegue a mi casa después de haber pasado tanto tiempo en su coche, entre besos y abrazos, y saludar a mi papá como si nada? ¿Cómo es posible que no intuyan ni vean en mi cara algún cambio? ¿Cómo es posible que tampoco mis hermanas adviertan que algo me pasa? Sigo acumulando cada vez más secretos.

—Buenos días, señorita Sofía. ¿Cómo amaneció usted hoy?

—Muy bien, señor Flores, ¿y usted?

—¿Me puede usted comunicar, por favor, con el señor Gamboa, de Procter and Gamble?

—De mil amores, señor Flores. Pero le advierto que no se puede quedar mucho en el teléfono: las líneas no deben permanecer ocupadas, ya que se pueden perder posibles clientes.

—No se preocupe, mi queridísima recepcionista. Lo que usted diga y ordene.

Igualmente nos entregamos a escondidas recaditos para fijar una cita, ya sea en un café o en alguna tortería de San Rafael o San Cosme. Con él he conocido otro mundo, otra ciudad dentro de mi ciudad, y otras posibilidades para ser feliz.

Ya era tal nuestra amistad y complicidad, que un día me propuso ir a cenar para que conociera a su familia. Acepté porque me daba mucha curiosidad descubrir su entorno: me pregunto si no me invitó precisamente para eso, y para que lo aceptara tal como es.

Estoy en la casa de Raúl Flores. Vive en Indios Verdes, muy cerca de la Villa. Su sala es muy pequeña y los muebles, forrados de plástico, resultan demasiado grandes. Lo que más sobresale de la decoración es un tocadiscos enorme. Su esposa me recuerda a una de las Hermanas Águila. Me doy cuenta de que tiene tres hijas mayores que yo. Todas son muy sonrientes y amables; me dicen Sofi, como si me conocieran desde hace mucho tiempo. «Es que mi papá nos ha hablado mucho de usted, señorita», explica la mayor.

El comedor se compone de una mesa muy larga y ancha, apenas si caben las sillas; tengo que respirar hondo y profundo para pasar entre ellas y el muro y llegar a la mía. El pozole muy rico, las tortillas grandes pero un poco duras y frías. A media mesa, una canasta de plástico llena de pan dulce: conchas, chilindrinas, rosquillas y campechanas. Hablamos del hueco que dejó la muerte de Pedro Infante.

Mientras disfrutamos de nuestro pan dulce y chocolate, Raúl me pide que por favor imite al señor Burmester: su familia me ha recibido con tanta amabilidad que no puedo negarme. Celebran tanto mi *sketch* que me siento como Carol Burnett. En seguida les cuento mi proyecto de irme a estudiar a París y les prometo que les mandaré muchas tarjetas postales de la Torre Eiffel y de la plaza de la Concordia. Todas aplauden de emoción. De pronto me doy cuenta de que ya es muy tarde.

—Señor Flores, ¿no le importa llevarme a mi casa, porque ya es muy tarde? —le hablo de usted para seguir guardando las apariencias.

—Claro que sí, señorita Sofía. Permítame sacar el auto de la cochera.

Estoy en la puerta, despidiéndome de la familia, cuando su esposa me propone darme un itacate con un poco de pozole. Me invita a pasar de nuevo a su casa y me dice:

—Sofi, es usted muy jovencita y se ve que es una persona muy sensible. Tengo que decirle que Raúl ya nos ha traído a la casa a varias de sus «novias» diciéndonos lo mismo, que son compañeritas del trabajo. Le pido, por favor, que se cuide. Lo mejor es que haga ese viaje a París, lo más pronto posible…

—¿Qué te dijo Maruca? —me pregunta Raúl de regreso a casa—. Vi que habló contigo. No sé lo que te dijo, pero te advierto que está enferma; pobrecita, es maniacodepresiva y suele inventar cosas.

—¿Como qué cosas? —le pregunto totalmente desconcertada.

—Cosas extrañas, se hace muchas ideas. Pero espero que hayas estado contenta con mi familia.

Al otro día le pido a Cayetana, la secretaria del Departamento de Personal, que me localice el expediente de Raúl Flores; al tenerlo en mis manos veo que su domicilio familiar es distinto al que conocí. Flores vive en la colonia San Pedro de los Pinos, su esposa se llama Alma y tiene dos hijos.

Salgo del trabajo más temprano que de costumbre, no tengo ánimo para enfrentarme con él.

—Mamá, quiero decirte que hoy renuncié de Burmester por una injusticia. No me preguntes qué pasó, pero créeme que se trata de un terrible abuso.

—No me sorprende —responde ella—. Siempre he dicho que de todas mis hijas, la más idiota, la más bruta y la más imbécil eres tú.

Un agradecimiento especial a la infinita paciencia de Ernesto Murguía, a la solidaridad de Isabel González Rul, al apoyo de Daria Moreno y a la amistad de Miguel Ángel Covián y Luis del Valle Prieto.